經學研究叢書·經學史研究叢刊

豐坊與姚士粦

林慶彰　著

目次

新版序

一九七八年五月，我在屈萬里先生的指導下，完成這本書的撰寫工作，順利取得碩士學位。當時提出的新觀點，是《詩傳》有原本和改本之不同。研究《詩傳》的學者，皆不知兩者內容大不相同，也因此他們的結論大都千篇一律，以為《詩傳》是豐坊偽造。實則原本和改本作偽者並不相同，僅籠統地說《詩傳》為豐坊偽造，實不足以反映當時的實情。

至於《詩說》一書，明代多數學者皆以為豐坊偽作，實際作者則甚難考定，余嘉錫先生以為王文祿偽作。我將現有有關《詩說》的記載，條分縷析，確定為王文祿偽作。結論雖與余嘉錫先生一致，但推論過程並沒有余先生所犯的疏失。

由於對這兩部書，有了相當嚴謹的考辨過程，結論也不容易推翻，當今學界論到這兩部書時，已有不少學者採用我的說法。本來以為是少作，不登大雅之堂，所以遲遲未出版，但這三十多年間，有不少學者要求贈送此書。我都以影印本來應付，為了節省影印的人力與物力，並期盼學者能提供高見，遂有出版的念頭。

由於本書是少作，有不少缺漏。豐坊作偽之動機，其實是要提倡漢學，當時並沒有體會到這點。豐坊與姚士粦作偽書的影響，由於當時讀書甚少，所以論述並不完整。這反映了我三十歲時的學力和看法。為了保存當時的實際情況，這次出版，除了改正錯漏字之外，內容皆未更動。

感謝萬卷樓圖書公司，願意出版這種冷門書。也感謝長庚科技大學學弟邱惠芬教授細心校對。書中可能還有其他疏漏的地方，敬請海內外賢達賜予教正。

二〇一五年七月林慶彰誌於
士林礦溪街知魚軒

序

中、晚明士人，多好作偽書，就中以豐坊、姚士粦二氏為最，影響亦最鉅。豐氏顯於北宋，為四明四著姓之魁，歷宋、元、明三代，煊赫五百餘年。至坊以作偽書頹其家聲。後世論豐氏所作偽書者，如毛奇齡、姚際恆、《四庫提要》等，雖多所闡發，然未得其實者尚頗有之。近代余嘉錫氏以辨證《四庫提要》名重一時，然論豐氏偽書，亦不免疏失。是知考證之事未易為也。

本文主旨，在辨豐、姚二氏偽作之書，其關於豐坊者，分二章敍述。首章詳其家世及生平；次章概述其作偽動機及所作之偽書；而《石經大學》、《詩傳》、《詩說》三書，因影響深遠，故以專節論述。《詩傳》有鈔本、刻本之別，其篇章次序迥然不同，茲就現存十數種傳本詳加比勘，條述其異同，始知《詩傳》曾經後人竄改。今諸叢書所收者，皆非《詩傳》原本。三百餘年來，論《詩傳》者眾矣，而多不及此。《詩說》先儒皆以為坊依仿《詩傳》而作，余詳讀《魯詩世學》，始知《詩說》乃襲自《世學》，而非依仿《詩傳》。既襲自《世學》，則決非坊所作。數百年來，關於《詩傳》、《詩說》之疑案，經條分縷析，似可得較合理之解釋。三章論姚士粦。士粦之事較簡。除述其生平著作外，尤注重《孟子外書》、《於陵子》二偽書之考辨。四章略述豐、姚二氏偽書，於明、清二代士人之影響。當時受惑者，頗多當朝鉅公及文壇盟主，知晚明士人真能讀書者尠也。

本文之作，自　屈翼鵬師授以篇題，並詳示研究重點，於茲二載，未敢稍怠。所過目之書數百部，經引用者，亦兩百餘部。雖不敢謂能發前修所未發，然於資料之蒐羅、研判、組織，已竭盡駑鈍矣。

客歲春，翼鵬師講學美國普林斯敦大學，雖遠隔重洋，仍時賜書諭勉。撰稿時，遇有疑難，多承劉兆祐師論定。其版本之判別，則請益於昌瑞卿師。稿成，翼鵬師因病住醫院療養，於病榻前猶諟正拙稿。　師恩似海，難以言報。今後自當益孜孜向學，庶幾不辱師門云爾。本文所涉範圍甚廣，而慶彰學殖荒疏，漏略不免，幸望大雅君子惠予教正焉。

一九七八年五月林慶彰序於
東吳大學中國文學研究所

緒言

歷代偽書之作，梁啟超氏分為六期：其一，戰國之末，諸子託古以自重；其二，西漢之初，廣開獻書之路，士子作偽以邀賞；其三，西漢之末，古文家作偽以與今文家相頡頏；其四，魏、晉時，王肅與鄭玄爭立，作偽以自證；其五，六朝時，道士作偽以與佛藏對抗；其六，中明以後，士人好奇炫博，作偽以迎合人心。[1]六期中，以中、晚明作偽之範圍最廣，兼括經、史、子、集四部，且作偽之方法，亦前代所不及。

明弘治、正德以後，李、何等人提倡復古，天下翕然從之。[2]而蹈其餘緒者，不得正路，徒以雜博相尚。[3]為求博，必廣搜遺文秘籍。如：朱存理《列朝詩集小傳》云：

> 居恆無他過從，惟聞人有異書，必從訪求，以必得為志。[4]

楊循吉《靜志居詩話》云：

> 沈疾已在躬，嗜書猶不廢，每聞有奇籍，多方必羅致。[5]

---

1 參閱《中國近三百年學術史》，頁247-248。

2 參閱《明史》，卷286，〈文苑傳〉。

3 參閱《中國近三百年學術史》，頁247-248。

4 《列朝詩集小傳》，丙集，頁303。

5 《靜志居詩話》，卷上，〈臣士上〉，頁156。

何良俊自云：

> 何子少好讀書，遇有奇書，必厚貲購之，撤衣食為費，雖饑凍不顧也。[6]

錢穀《列朝詩集小傳》云：

> 晚葺故廬，讀書其中，聞有異書，雖病必強起，匍匐往觀，手自鈔寫，幾於充棟。[7]

王文祿《海鹽縣圖經》云：

> 性嗜書，聞人有異編，倒囊購募，得必手校，縹緗萬軸。[8]

謝兆申《靜志居詩話》云：

> 晉江黃明立序《耳伯集》，稱其喜交異人，購異書，摭異聞，自墳典邱索，經緯流略，稗官瑣語，靡不甄錄。[9]

陸宇燝《鮚埼亭集外編》云：

> 性嗜異書，晚年家既貧，不能具寫官，乃手鈔之，瀕病不倦。[10]

6 《四友齋叢說》，何氏自序。
7 《列朝詩集小傳》，丁集中，頁486。
8 《海鹽縣圖經》，卷14，〈儒林傳〉，頁5。
9 《靜志居詩話》，卷下，頁93。
10 《鮚埼亭集外編》，卷6，頁578。

嗜奇書者，除獨力搜求外，更組搜書會，祁承㸁《數馬歲記》云：

> 與蕭之及二三同調為搜書之會，期每月務得奇書及古本若干，不如約者罰。[11]

梅鼎祚《列朝詩集小傳》云：

> 禹金（鼎祚）好聚書，嘗與焦弱侯、馮開之、既虞山、趙玄度訂約搜訪，期三年一會於金陵，各書其所得異書逸典，互相讎校。[12]

此外，如楊慎、袁翼、豐坊、項篤壽、包檉芳、胡應麟、胡震亨、姚士粦、陳繼儒、徐𤊹、毛晉、鍾惺等人，其酷嗜珍籍秘冊，更為世人所習知。[13]

好奇書者如此多，而所謂奇書、異書、秘本、隱牒等，究為如何之書？觀今存明人所編刻之叢書，如天一閣《二十種奇書》，鍾惺《秘書九種》，胡震亨、姚士粦《秘冊彙函》，毛晉《津逮秘書》，茅瑞徵《芝園秘錄初刻》，陳繼儒《寶顏堂秘笈》等；其已佚者，如沈天生《尚白齋秘笈》[14]，汪雲程《逸史搜奇》[15]，稽古堂《群書秘

---

11 《淡生堂集》，卷12。

12 《列朝詩集小傳》，丁集下，頁627。

13 參閱〔清〕葉昌熾《藏書紀事詩》；汪誾：《明清蟫林輯傳》；《圖書館學季刊》第7卷第1期。

14 姚士粦〈尚白齋秘笈序〉云：「……此刻為友人沈天生及弟水部白生手校剞劂，可謂以傳佈為藏，真能藏書者矣。」見《藏書紀事詩》，頁160。

15 《千頃堂書目》，卷15，子部．叢書類，頁41。

檢》[16]等。皆以「奇」、「秘」為名，則其所收之書，皆好奇者所肆力搜購者也。如《二十種奇書》輯有：

一、乾坤鑿度	二、元包經傳	三、元包數總義
四、周易古占法	五、周易略例	六、周易舉正
七、京氏易傳	八、關氏易傳	九、麻衣正易心法
十、穆天子傳	十一、孔子集語	十二、論語筆解
十三、郭子翼求	十四、廣成子解	十五、三墳
十六、商子	十七、素履子	十八、竹書紀年
十九、潛虛	二十、虎鈐經[17]	

其他各叢書所收者，率皆此類。是知所謂奇書、秘冊者，即先秦以來罕見之典籍也。

士人中聞見較博者，如楊慎、豐坊、姚士粦、王逢年、王世貞、慎懋賞等，遂廣作偽書。一則炫其聞見之博、秘藏之富；一則迎合士人好奇心理，兼思行其學說。書賈或淺陋者復效法之，以為牟利之資。作偽之事，遂浸浸然盛矣！所偽之書，有全憑創作而成者，如楊慎之《雜事秘辛》，王逢年之《天祿閣外史》；有襲用前人學說者，如豐坊《子貢詩傳》；有改易原文章節，託言古本者，如豐坊之《石經大學》、《石經中庸》；有託之外國本者，如豐坊之朝鮮、倭國本《尚書》；有綴拾他書文句，並附以己意者，如《竹書紀年》、《十六國春秋》、《心書》及姚士粦之《孟子外書》、《於陵子》，慎懋賞之《慎子》，王世貞之《短長》等，有綜拾他書所引佚文而成者，如《搜神記》、《博物志》、《續博物志》、《述異記》、《續齊諧記》等，皆從類書鈔合是也。

---

16 《千頃堂書目》，卷15，子部．叢書類，頁45。

17 此據《天一閣見存書目》，卷末，頁42。

至有剽竊前人著作以成書者，如《幽居錄》，襲自周密《齊東野語》卷六至卷十[18]；《廣夷堅志》題楊慎撰，實襲自樂史《廣卓異記》[19]；《明百家小說》題沈廷松編，實襲自《續說郛》[20]；《紹興內府古器評》，全襲自《博古圖》[21]；《劍俠傳》襲自《太平廣記》卷一九三至一九六。[22]又有書估以明板冒充宋、元板，以節本充全本等等，方法千奇百怪。[23]雖不屬作偽書之範圍，然亦可印證中、晚明以來，作偽者之無所顧忌矣！

諸作偽者中以豐坊作偽之方法最詭異，所作偽書最多，影響亦最深遠。姚士粦雖不及坊，亦差可比擬。蓋兩人所偽者多為經書，明人之通經者本不多，能詳究一書之源流始末者，更絕無僅有。[24]故二氏之偽書，得以欺世。本編因並豐、姚二氏而合考之，雖主旨在探討其偽作之書；然論其書必先知其人，故於二氏之生平行誼，亦稽考而闡述之。

---

18 《四庫提要》，卷143，子部・小說家類，〈存目一〉，頁11。

19 《四庫提要》，卷144，子部・小說家類，〈存目二〉，頁10。

20 《四庫提要》，卷132，子部・雜家類，〈存目九〉，頁30。

21 《四庫提要》，卷116，子部・譜錄類，〈存目〉，頁3。

22 《四庫提要》，卷144，子部・小說家類，〈存目二〉，頁3。

23 參閱屈翼鵬師《圖書板本學要略》，卷3，〈鑒別篇〉，第十小節〈書估作偽〉；及〈晚明書業的惡風〉，收在《國立臺灣大學三十週年校慶特刊》。

24 《明史》〈儒林傳〉序云：「至專門經訓授受源流，則二百七十餘年間，未聞以此名家者。」卷282。

第一章
豐坊及其著述

第一節　豐坊之家世

春秋時鄭穆公子豐之後，以王父名為氏，有豐點、豐卷、豐施[1]，是為豐姓之由來。漢有豐謹為御史大夫。[2]至宋，明州鄞縣（今浙江省鄞縣）有豐衍（坊十八世祖），不仕。衍子表（坊十七世祖），贈朝奉郎。表子祿（坊十六世祖），贈通奉大夫。[3]

祿子稷（坊十五世祖），字相之。北宋仁宗嘉祐四年（1060）進士。[4]嘗從安燾使高麗，海中大風檣折，舟幾覆，眾惶擾莫知所為。稷神色自若，燾歎曰：「豐君未易量也。」知開封府封丘縣。神宗召對問：「卿昔在海上，遭風波，何以不畏？」對曰：「巨浸連天，風濤固其常耳，憑仗威靈，尚何畏？」帝悅，擢監察御史裏行。[5]哲宗即位，徙成都府路，召為工部員外郎，遷殿中侍御史。[6]上疏曰：「陛下明足以燭萬事之統，而不可用其明；智足以應變曲當，而不可用其

1　〔宋〕鄭樵：《通志》，卷28，〈氏族略第四〉。

2　《萬姓統譜》，頁223。

3　〈宋禮部尚書敘復朝請郎提舉亳州太清宮豐公墓誌〉，見《豐清敏公遺事附錄》，收於《四明叢書》第1集，第1冊。

4　〈宋禮部尚書敘復朝請郎提舉亳州太清宮豐公墓誌〉，見《豐清敏公遺事附錄》，收於《四明叢書》第1集，第1冊。

5　《宋史》卷321，〈豐稷本傳〉，頁7。按：本傳作「擢監察御史」，此從《東都事略》，卷94，〈本傳〉，頁7。

6　《東都事略》，卷94，〈本傳〉，頁7。

智。順考古道，二帝所以聖；儀刑文王，成王所以賢。願以〈洪範〉為元龜，祖訓為寶鑑。一動一言，思所以為則於四海，為法於千載。則教化行，習俗美，而中國安矣。」[7]遷右司諫，改國子司業起居舍人，歷太常少卿、國子祭酒，除刑部侍郎兼侍講。以集賢院學士知潁州，移江寧府，召為吏部侍郎，又出知河南府，加龍圖閣待制。章惇欲困以道路，連歲亟徙六州。[8]徽宗即位，以左諫議大夫召，道除御史中丞。首論蔡京之罪，京貶。又論章惇誤國，惇黜。又乞辨宣仁誣謗之禍，且言史臣以王安石《日錄》亂《神宗實錄》，今方脩《哲宗實錄》，願申飭之。[9]又數上疏言近習之罪，會曾布由內侍進，將拜相，稷謂臺屬曰：「盍共論之？」遷工部尚書，布遂相。徙禮部。以樞密直學士知蘇州，改越州。蔡京相，降寶文閣待制，俄奪職。知常州，貶海州團練副使，睦州安置，移道州別駕，臺州居住，又除名，移建州，徙婺州，提舉明道宮，卒年七十五。[10]高宗建炎中，追復學士，諡曰清敏。[11]稷好蓮，後人建紫清觀，繞觀三里，皆曲塘，妙蓮瀰漫水中，甲於四明。[12]而四明豐氏，顯赫五百餘年，實由此起也。

稷長子安常（坊十四世祖），神宗元豐五年（1082）進士。[13]以儒行名太學，魁南宮，再任太學正，年未三十而卒。[14]

安常子治（坊十三世祖），建炎三年（1129），高宗駐蹕淮陽，金兵

---

7 《宋史》卷321，〈豐稷本傳〉，頁7。亦見《東都事略》，卷94，〈本傳〉，頁7；與《皇朝名臣言行續錄》，卷1，頁14，字句略有不同。

8 《宋史》卷321，〈豐稷本傳〉，頁7。

9 《東都事略》，卷94，〈本傳〉，頁7。

10 《東都事略》，卷94，〈本傳〉，頁7。

11 《宋史》卷321，〈豐稷本傳〉，頁7。

12 〔清〕全祖望：《鮚埼亭集外編》，卷18，〈紫清觀蓮花塘記〉，頁698。

13 《(乾隆）鄞縣志》，卷9，〈選舉表〉，頁5。

14 《宋元學案》，卷19，〈范呂諸儒學案．學正豐先生安常傳〉，頁27。

入境，時治監揚州轉船倉，死之。紹興十一年（1141）。詔褒其忠。[15]

治子誼（坊十二世祖），字叔賈，一字宜之，以父死難，被任知建康軍，歷知常、臺、饒、蘄、衢等州，所至有政聲。[16]誼遷居於紹興府上虞縣。[17]

誼子有俊（坊十一世祖），字宅之，光宗紹熙元年（1190）進士[18]。嘗從陸九淵游，為九淵高弟。官通判，南昌府歲大疫，親歷衢巷撫視，給醫藥，創立東山書院，造士之法甚備。知建昌軍，設義倉以濟民，擢淮南安撫使，知揚州，金兵南侵，力戰卻之，改守鎮江，卒官[19]。劉後村有〈夢吏部宅之詩〉曰：「老猶奮筆排和議，病尚登陴募敗兵，天奪偉人關氣數，時無好漢共功名。」又曰：「朝給賻錢方掩骨，家無餘帛可為衾。」[20]可見有俊之志節與瀆廉。

有俊子數人。存芳（坊十世伯祖），字公茂，官太平州通判。元兵至，知州孟知縉將以城降，存芳力爭不得，詈之，知縉遂引元兵屠其家，同死者十八人。[21]雲昭（坊十世祖），未仕。雲昭子稌（坊九世祖）與孫昌傳（坊八世祖），皆篤學潛德，克紹家風。[22]昌傳子庚六（坊七世祖）遷奉化，庚六子茂四（坊六世祖）遷定海。[23]豐氏所以

15 《宋史翼》，卷30，頁21。

16 《宋元學案》，卷58，〈象山學案・吏部豐宜之先生誼傳〉，頁5。

17 《紹興府志》，卷46，〈人物志六〉，〈鄉賢三〉，頁7。

18 《上虞縣志》，卷13，〈選舉志〉，頁3。又《（乾隆）鄞縣志》，卷13，〈人物〉，頁8。

19 《（乾隆）鄞縣志》，卷13，〈人物〉，頁8。

20 《結埼亭集外編》，卷34，〈豐吏部宅之傳〉，頁868。

21 《（乾隆）鄞縣志》，卷13，〈人物〉，頁32。

22 《宋元學案補遺》，卷58，〈象山學案・豐先生稌傳〉，頁47。

23 《結埼亭集外編》，卷17，〈天一閣藏書記〉，頁687。原文作「其後至庚六遷居奉化庚子茂四遷居定海。」葉昌熾《藏書紀事詩》斷作「其後至庚，六遷居奉化，庚子茂，四遷居定海。」見（《藏書紀事詩》，卷2，頁110。）陳登原斷作「其後至庚六，遷居奉化，庚子茂四，遷居定海。」（見〈天一閣藏書考〉，附《天一閣見存書目》後，頁2）此處從陳氏斷句。

遷徙頻頻，蓋胡元統治，天下欠安定也。

茂四孫寅初（坊高祖），本名初，字復初，號復齋。博學篤行，義不仕元。[24]明太祖洪武二十七年（1394）歲貢，官江西德化教諭。[25]年一〇五歲。

寅初子慶（坊曾祖），字文慶，宣宗宣德四年（1429）以父宦籍江西瑞昌中浙江鄉試，英宗正統四年（1439）進士。[26]代宗景泰初，以給事中諫南城及易儲事，言甚剴切，逮繫詔獄。七年（1456）英宗復辟，陞河南左參政，論周府內官不法事，帝嘉之，陞右布政使，廉聲大著，風裁振于郡邑。[27]慶奉表入賀，墜馬傷足，乞致仕。[28]初，慶眷念先疇，於正統中自定海歸鄞，失其故居，卜之，遇豐之革，喜其與姓符。次日訪得紫清觀於城，遂復先人舊業。[29]

慶子耘（坊祖），孝宗弘治元年（1488）貢生，為府學教諭。[30]耘子熙（坊父），字原學，號一齋。生而穎異，志趣卓絕，讀書精舍，嘗署壁曰：「立志當以聖人為的，遜第一等事於人，即非人也。」年十六遭母喪，水漿不入口者數日，倚廬三年，郡守姜昂器之曰：「此吾郡顏子也。」弱冠師姚鏌，授毛、鄭《詩》[31]，弘治八年（1495）鄉試中式[32]，十二年（1499）舉殿試第二。[33]帝奇其策，賜第一人袍

24 《古今圖書集成》，卷271，〈學行典〉，頁51。

25 《結埼亭集外編》，卷47，〈問豐司業寅初以遜國棄官，足下斷以為考功之妄，乞詳示〉，頁1033。

26 《(乾隆) 鄞縣志》，卷9，〈選舉表上〉，頁48。

27 《國朝獻徵錄》，卷92，〈河南右布政使豐慶傳〉。又《皇明史竊》，卷88，〈豐慶傳〉，頁5。

28 《(乾隆) 鄞縣志》，卷14，〈人物〉，頁32。

29 〔清〕全祖望：《結埼亭集外編》，卷18，〈紫清觀蓮花塘記〉，頁698。

30 《(乾隆) 鄞縣志》，卷9，〈選舉表上〉，頁61。

31 《國朝獻徵錄》，卷20，〈翰林院學士奉政大夫豐公熙墓碑〉。

32 《(乾隆) 鄞縣志》，卷9，〈選舉表上〉，頁62。

帶寵之。授編修，進侍講。薦修《孝宗實錄》，遷右春坊右諭德。[34]時劉瑾用事，朝士見瑾多屈膝，熙獨與抗，瑾銜之，出為南京吏部員外。正德五年（1510），瑾誅，熙以右諭德視南京翰林院事。遭父喪去位，服既闋，乞終養繼母，不報，復職。[35]時熙資望隆赫，中外莫不傾心，謂宜握持鈞軸，以襄化理，而忌者陰沮之[36]，遂滯春坊十七年不調。[37]世宗即位，進翰林學士，預修《武宗實錄》[38]，興獻王大禮議起，熙偕禮官數力爭。[39]嘉靖三年（1524）七月丁丑，熙等言興獻王尊號不當去「本生」二字，疏入留中。戊寅，群臣朝罷，以前疏未下，相率詣左順門伏候，或呼太祖高皇帝，或呼孝宗皇帝，聲淚內徹。帝齋居文華殿，再諭退，不從。帝怒，命錄諸臣名氏，熙首事，下獄。癸未，再拷問熙，遂謫戍福建鎮海衛。[40]熙初至戍所，居雲洞講學著書，絕口時事，或有感慨，於吟詠發之。率衛諸生為鎮海理學名臣立祠，與蔡烈、方良永、鄭岳、林茂達諸人遊。後羈居福州西郊。[41]嘉靖十六年（1537），熙竟卒於戍所。計遣戍十三載。[42]

---

33 《皇明進士登科考》，卷9，頁540。又見《（乾隆）鄞縣志》，卷9，〈選舉表上〉，頁63。

34 《明史》，卷191，〈豐熙傳〉。

35 《皇明應謚名臣備考錄》，卷3，頁43。

36 《國朝獻徵錄》，卷20，〈翰林院學士奉政大夫豐公熙墓碑〉。又《本朝分省人物考》，卷48，頁17。

37 《皇明應謚名臣備考錄》，卷3，頁43。

38 《皇明應謚名臣備考錄》，卷3，頁43。

39 《明史》，卷191，〈豐熙傳〉。

40 〔明〕談遷：《國榷》，卷44。

41 《福建通志》，卷25，頁5。又見《福州府志》，卷64，頁5。又見《漳浦縣志》，卷16，〈人物下〉。

42 《明史》卷191、《本朝分省人物考》卷48、《國朝獻徵錄》卷20、《明史列傳》卷66、《國榷》卷44、《（乾隆）鄞縣志》卷15，俱作「十三載」。《福建通志》卷225、《福州府志》卷64，作「十七載」，誤也。

熙子數人，墀、坊（下節詳敘）等。墀早卒。坊子鍙，有萬夫勇，詩頗蘊藉。[43]坊孫越人、應元。越人，字正元，自號天放野人。性嗜學，工詩，嘗見時人行卷多送行祝壽之作，輒唾之曰：「詩以道性情，豈為汝輩行乞耶！」故其詩有林泉無朝市，有懷弔無譽頌，有流連無媟嫚，一洗詩家之陋。[44]弟應元字吉甫，少越人十歲，因師事之，從受詩法，遂與越人齊名，稱為「二豐」。[45]坊曾孫建，萬曆四十三年（1615）舉人，天啟五年（1625）進士，知建昌府。[46]此後豐氏遂衰。

全祖望云：「清敏（豐稷）之後，為吾鄉四姓（按：史、鄭、樓、豐）之渠，名德接踵，監倉（豐治）、太平（豐存芳）二公之忠節，吏部（豐有俊）父子之講學，定城之吏治，至有明而為布政、學士二公（豐慶、豐熙）之直諫，俱不媿於花（按：指蓮花）之君子，清敏之澤遠矣！今豐氏之子孫蕭寥衰替，蓋亦極盛之後，難繼歟！」[47]

---

43 《鮚埼亭集外編》，卷33，〈跋豐考功札〉，頁858。

44 《(乾隆) 鄞縣志》卷15，〈人物〉，頁43。

45 《(光緒) 鄞縣志》，〈人物傳十三〉，頁4。《甬上耆舊詩》亦以應元為越人弟（見《甬上耆舊詩》，卷23，〈豐應元敘傳〉頁60)。《千頃堂書目》集部別集類豐應元《鳴臯集》下註云：「越人從父」。蓋黃虞稷偶誤。

46 《(乾隆) 鄞縣志》，卷10，〈選舉表下〉，頁24、26。此志以建為坊孫。按《萬卷樓集》徐時進序云：「歲丙辰（萬曆四十四年，1616年）溫陵蔡公體國奉璽書，視吾海上師選，間與公之曾孫建孝廉嗟咨前事。」《四庫提要》亦以建為坊曾孫（見卷180，集部別集類，〈豐正元集提要〉)。則《鄞縣志》云建為坊孫者，誤也。

47 《鮚埼亭集外編》，卷18，〈紫清觀蓮花塘記〉，頁698。

附　豐氏世系表

豐衍　豐表　豐祿
豐稷
安常　治　誼　有俊
大常
希仁
女適藺
女適郭
至
存芳　禮
雲昭　稌
芑
莖
昌傳　庚六　茂四　寅初　慶　耘　熙
墀
坊　鎣
越人　建
應元

第二節　豐坊之生平

豐坊，字存禮，後更名道生，字人翁，別號南禺外史，約生於明孝宗弘治十三或十四年（1500或1501）。[48]

---

48 坊之生年，現存志傳皆無記載。〈豐坊傳〉云：「五歲父携之謁御史董鑰。」（見

坊少警敏，對案攤書，目睛出眶外半寸，人從座右出人皆不知。五歲，父携之謁御史董鑰，問讀何書，答曰：「〈大學序〉」。令誦之，及終「淳熙己酉新安朱熹序」，落「熙」字，鑰問之，拱而答曰：「家君諱」。座客咸嗟咨。[49]成童後，讀書「十行並下，一目不忘」。[50]舉正德十四年（1519），鄉試第一。[51]嘉靖二年（1523），殿試二甲第三十一名。[52]授禮部主事。其初入宦途之心境，可於下列二詩見之。〈春日早朝〉云：

玉漏初殘曙欲生，千官端笏候華清。
烟銷碧瓦參差見，月晃金門事下明。
仙仗乍移雙扇合，侍臣徐退萬花迎。
孤忠自許酬真主，況復簪纓際太平。[53]

又〈冬至朝賀喜雪〉云：

簪紱趍陪玉署班，一陽初見六花攢。
高飛絳闕雲中舞，細點朱衣畫裡看。

《（光緒）鄞縣志》，〈人物傳十一〉，頁4）按《蘭臺法鑒錄》云：「董鑰，字啟之，浙江鄞縣人。弘治三年（1490）進士，五年（1492）由上海知縣選雲南道御史巡按。雲南疏請致仕。」（見《蘭臺法鑒錄》，卷13，頁8）據《雲南通志》，弘治時御史巡按為董鑰，正德時已改為陳天祥。（見《雲南通志》，卷15，〈秩官〉，頁11）則董鑰之致仕，當在弘治十八年（1505）或正德元年（1506）間。熙與坊之進謁，或於此時。當時坊五歲，則坊當生於弘治十三或十四年（1500或1501）。

49 《南雷文定三集》，卷2，〈豐南禺別傳〉。

50 《萬卷樓集》徐時進序。

51 《（乾隆）鄞縣志》，卷10，〈選舉表下〉，頁4。

52 《皇明進士登科考》，卷11，頁699。又《明史》，卷191，〈豐坊傳〉。

53 《萬卷樓集》，卷5，頁17。

光閃金蓮先覺曙，氣回葭琯不知寒。
天心聖德多昭假，瑞應豐年萬國歡。[54]

所敘者雖為早朝時之太平景象，然字句問亦隱然可見其對仕途之憧憬。嘉靖三年（1524），坊隨父爭大禮，下獄，廷杖後出為南京吏部考功主事。[55]途經山東臨清，有〈旅懷〉三首，其一云：

一臥扁舟動浹旬，羈懷索莫自離群。
青山綠樹褰幃入，擊筑吹竽隔岸聞。
朔氣欲令清濟合，土風全與故鄉分。
親闈咫尺還千里，幾夜依依夢獨勤。[56]

廷杖之苦，與夫懸念遠戍福建之老父，其心境之淒楚可知。至南京後，仍時以不克救父為念。〈除夕〉三首之一云：

倉皇來旅館，寂寞坐寒宵。
關塞風塵暗，江山草木凋。
一身憔悴在，萬里瘴波遙。
獨抱緹縈恨，悲吟涕忽澆。[57]

先是，其父曾出掌南京翰林院[58]，坊見父所植梅樹，感慨不已。〈除

54 《萬卷樓集》，卷5，頁17。
55 《萬卷樓集》〈感知〉十首之五「瀕死遂南遷」句下註云：「余在儀部乞南調選部立案，公（按：指閒齋，其姓名待考）為少宰，時余病瘃，特為奏行。」則坊南遷，似為自請。見《萬卷樓集》，卷3，頁33。
56 《萬卷樓集》，卷5，頁21。
57 《萬卷樓集》，卷5，頁5。

夕〉三首之二云：

> 玉署逢除夕，羈人淚滿襟。
> 乍看雙樹影，偏動十年心。庭中碧梅樹各一，皆是老父視篆時所植。
> 請劍朱雲志，懷沙屈子吟。
> 猶叨數升祿，塹痛欲何禁。[59]

坊南遷前已「病瘃」。[60]斯時病甚，有〈臥病述懷〉四首[61]記其事。因沉痾纏身，屢上疏乞休，然格於新令，未能如願。[62]

嘉靖五年（1525），坊左遷通州同知。[63]赴任後，頗有政績。《直隸通州志》云：

> （坊）居官有才名，改建胡文定公祠於南門，使習《春秋》者肄業其中。[64]

嘉靖八年（1529），坊謝病歸。[65]絕家務，簡交遊，鎖閣讀書其中。[66]

---

58 正德五年（1510），熙因不附劉瑾，以右諭德出掌南京翰林院。見〔明〕雷禮：《國朝列卿記》，卷22，頁7。

59 《萬卷樓集》，卷5，頁5。

60 《萬卷樓集》，卷3，頁33。

61 《萬卷樓集》，卷5，頁6。

62 〈秣陵七歌序〉云：「余羈秣陵，乞休，累疏而格於新令，鬱鬱之懷，伏枕增劇。」見《萬卷樓集》，卷4，頁14。

63 《(光緒）鄞縣志》作「嘉靖六年（1526）」(見〈人物傳十一〉，頁4)，然據《通州直隸州志》，嘉靖五年（1525）之知州為楊儒魯，同知為豐坊。(見卷8，〈秩官上〉）知作「六年」者，誤也。

64 《直隸通州志》，卷11，〈官蹟志〉，頁40。

65 嘉靖八年（1529）之同知為陳須孝，知坊必在此年以前免歸。見《通州直隸州志》，卷8，〈秩官志上〉。

嘉靖十六年（1537），父熙卒於福建戍所。坊千里扶櫬歸。

先是，坊家居時，曾數次晉見同里張邦奇，思求復用，邦奇不可。[67]坊乃於嘉靖十七年（1538）六月丙辰詣闕上書[68]，云其父前諫大禮，非出本意。並請復古禮，以隆聖者，謂「孝莫大於嚴父，嚴父莫大於配天，宜建明堂，加尊皇考獻皇帝，稱宗以配上帝。」[69]帝感其言，心動，召所幸諸大臣與語，俱請退諮於邦奇。邦奇云：

> 其人少有文學，行多不檢，聖朝豈乏此一人？今郊廟土木大興，疆場不靖，若復有此舉，海內何堪？[70]

帝乃止。坊候久，乃於嘉靖十八年（1539）六月癸卯復進〈卿雲雅詩〉一章。[71]帝終因邦奇言，但詔付史館待命而已。久之，竟無所進擢。坊歸家益悒悒，乃欲以著述自見。[72]其更名道生，字人翁，號南禺外史，蓋在此後數年間。[73]

坊性本不諧於俗[74]，仕途受阻後，變本加厲。張時徹云：

---

66 《萬卷樓遺集》，卷1，〈世統本序〉，頁1。

67 《甬上耆舊詩》，卷8，〈張邦奇敘傳〉，頁42。

68 豐坊上書之年，沈朝陽作「嘉靖十六年（1537）六月」，蓋聞見偶誤。見《皇明嘉隆兩朝聞見記》，卷5，頁491，

69 《明世宗實錄》，卷213，頁4373。又〔明〕談遷：《國榷》，卷47。

70 《甬上耆舊詩》，卷8，〈張邦奇敘傳〉，頁42。

71 《明世宗實錄》，卷213，頁4684，又〔明〕談遷：《國榷》，卷48。

72 《明史列傳》，卷66，〈豐坊傳〉，頁3101。

73 《奉化縣志》所錄坊〈邑令蕭侯傳〉，作於嘉靖二十八年（1549），已署名豐道生（見卷13，〈藝文傳〉，頁4）；又〈真賞齋賦〉亦作於此年，亦署名豐道生。則坊之更名，必在嘉靖二十八年以前之數年間。

74 坊云：「余性踈闇，弗協於邦人。」見《萬卷樓集》，卷1，〈贈石溪陸年文序〉，頁12。

> 行或盭中，片語合意，輒出肺肝相啗，睚眦蒙嗔，即援戈戟交刺，亦或譽嫫母為嬋娟，斥蘭荃為薋菉，旁若無人，罕所顧忌。知者以為激詭，而不知者以為誕罔也。[75]

其個性既如此，行事亦多怪誕荒謬。錢謙益嘗記其邀沈嘉則結忘年交事云：

> 嘗要邑子沈嘉則具盛饌，結忘年交，相得甚讙。或問之曰：「是嘗姍笑公詩。」即大怒，設醮上章，詛之上帝。所詛凡三等：一等皆公卿大夫有仇隙者；二等則布衣文士，嘉則為首；三等鼠、蠅、蚊、蚤、虱。[76]

其狂易有如此者。黃宗羲〈豐南禺別傳〉記此類事，不下十則。姑舉二則，以例其餘。其一云：

> 每年必召黃冠，設醮以驅蚤蝨，客至，則問之：「自吾醮後，覺蚤蝨減於昔否？」客曰：「尤甚。吾方怪之，豈知公家蚤蝨，驅而之吾舍乎！」坊乃大喜。當其醮時，黃冠賂侍者，陰捕蚤蝨，不使近坊，坊確然以為醮之左驗。[77]

其二云：

> 東門皮工王姓者，事坊甚謹，歲時餽遺不絕。坊感其意，問其

---

75 〔明〕張時徹：〈豐坊集序〉，見《列朝詩集小傳》，頁407引。

76 《列朝詩集小傳》，〈豐坊傳〉，頁407。

77 《南雷文定三集》，卷2。

> 所欲於嘗所往來者，或曰：「似欲向公乞一號耳。」坊手書「蘭坡」二字以號之，而坡字之土肥頭。皮工得此珍甚。有見之者曰：「析之為東門王皮，公蓋巷汝也。」皮工（原誤作公）聞之更喜曰：「吾與東門猶蟣蝨耳，公乃以東門畀我，皮固吾業，道其實耳。」踵門以謝。言狀。坊曰：「此人安得有此言，可以師我矣。」延之上坐。皮工惶恐而出。[78]

文雖不雅訓，然可見坊晚年行事之一斑。

坊以精書法，五體並能[79]，遂多作偽書，都凡十餘種。（詳下章）嘉靖四十一年（1562）冬，坊會海鹽王文祿於海上，語文祿以《魏三體石經》及《日本五經》，並出示《尚書世學》。[80]嘉靖四十三年（1564）春，又會文祿於海上，曾口授《石經大學》。[81]此即坊作偽之部分成 果也。

此後坊之事蹟，遂不見於載籍。全祖望云：「晚得心疾」[82]，且以所偽之書，皆得心疾後所作。[83]梁啟超據此，直以「神經病」目之。[84]若果坊真患有「神經病」，能否作出《周易世學》、《魯詩世學》、《春秋世學》等書，實不無可疑。要以沈嘉則所云：「狂僻縱口，若含沙之蠱，且類得心疾者。」[85]較得其實。《(光緒）鄞縣志》云：「暮年寄居蕭寺，往往絕食。」[86]其寄居蕭寺，當在嘉靖四十三年（1564）以

78 《南雷文定三集》，卷2。
79 《詹氏小辨》，卷40，頁40。
80 〔明〕王文祿：〈中庸古本前引〉，頁6。
81 王文祿之〈跋〉，見〔明〕王陽明：《大學古本問》，頁9。
82 《鮚埼亭集外編》，卷17，〈天一閣藏書記〉，頁687。
83 《鮚埼亭集外編》，卷34，〈題豐氏五經世學〉，頁861。
84 《古書真偽及其年代》，頁23。
85 引自〔明〕王世貞：《藝苑卮言》，卷6，頁11。
86 《(光緒）鄞縣志》，〈人物傳十一〉，〈豐存理傳〉，頁4。

後，王世貞《藝苑卮言》云：「年老篤病死」。[87]其卒年已不可知，然《甬上耆舊詩》〈張時徹敘傳〉云：「豐人翁以落魄死，（時徹）為刻《考功集》。」[88]時徹所刻《考功集》刊於隆慶四年（1570），則坊之卒，必在此年以前。蓋卒於隆慶年間，年約七十左右。

第三節　豐坊非偽託之著作

一　《易辨》

《千頃堂書目》[89]、《欽定續文獻通考》[90]、《四庫提要》[91]俱作一卷。

《四庫提要》云：「此書以孔子授《易》於商瞿，〈文言〉諸傳，凡言『何謂也』，皆以為商瞿問辭，『子曰』以下，皆瞿錄夫子之答辭，又以周公爻辭謂之〈易繫〉。其論筮法，則以彖專為卜，繫專為筮，大抵無根之談。其論〈太極圖說〉，謂朱子得之葛長庚，託名周子，尤為誣說。考朱子《太極圖傳》及《通書解》，成於乾道九年（1173）癸巳，見於《年譜》。長庚生於紹熙五年（1194），見《瓊琯集》〈長庚事實〉，是注太極圖後二十一年，長庚乃生，安得指為長庚所授歟！」[92]

87 〔明〕王世貞：《藝苑卮言》，卷6，頁11。
88 《甬上耆舊詩》，卷8，〈兵部尚書東沙張先生時徹敘傳〉，頁105。
89 《千頃堂書目》，卷1，〈經部・易類〉，頁15。
90 《欽定續文獻通考》，卷144，頁4073。
91 《四庫全書總目》，卷7，〈經部・易類〉，〈存目一〉，頁28。
92 《四庫全書總目》，卷7，〈經部・易類〉，〈存目一〉，頁28。

二　《世統》

諸史志及各家藏書志罕見著錄。

《寧波府志》云：「（坊）又著《世統》一書，自皇初迄當代，凡數千卷，最為浩博。」[93]

坊自序云：「朱子《綱目》，明天人之道，昭鑒戒，著幾微，誠有得於聖人之傳者。顧書成於師淵，而晦翁之手筆無幾，是以綱詞多費，非謹嚴之體，目記大略，無以考見本末，學者每遺憾焉。若夫四史之法，則概乎未之及也。道生垂髻，有志於斯，弱冠干祿，未遑卒業，然於心恆弗忘。家故藏書萬卷，甫入仕籍，悉以俸入購書，又積萬卷，乃謝病歸，絕家務簡交遊，鎖閣而讀之，參互考訂，晝習夜思，爰自洪荒以來，數千百年之事繩貫數計，灼如今日，乃輯舊業，編十絕而就緒，名曰《世統》。統者，授受之曆數也。先辨統之正偽，然後祚之脩短，政之得失，君之昏明，臣之忠佞，可得而評焉。綱祖《春秋》，嚴美刺也；目宗《左氏》，著本末也。每代之終必敘禮樂、官賦、刑歷、藝文、食貨、后妃、列國諸臣，又以兼《史》、《漢》傳志之體也。蓋一啟冊而史法備矣。」[94]知是書始作於垂髻時，因「弱冠干祿，未皇卒業」。然據《甬上耆舊詩》〈張邦奇敘傳〉云：「同里部郎豐坊坐廢家居，數從公求復用，公不可，乃輯《世統》，謂聖祖系出文王，宜建明堂、封禪，以示萬世為圖說。」[95]則為坊坐廢後，求復用而作。蓋坐廢後，董理舊稿，又思求復用，遂有「聖祖系出文王」等語。邦奇惡坊之為人，遂以人廢書歟！

93　《寧波府志》，卷32，〈人物傳〉，頁6。

94　《萬卷樓集》，卷1，頁1。

95　《甬上耆舊詩》，卷8，〈張邦奇敘傳〉，頁42。

三 《書訣》

《千頃堂書目》不著錄。

《欽定續文獻通考》[96]、《四庫提要》[97]著錄皆一卷。

是書首論學書之法，並敘硯、筆之良窳，次分古文、奇字、大篆、小篆、隸五類，排比古今銘刻與書法家，評其優劣次第。《四庫提要》云：「《書訣》一卷，不著撰人名氏，……書中稱其十世祖名稷，曾祖名慶，祖名耘，考名熙，則當為嘉靖間鄞人豐坊所作也。……其論顏真卿，獨推其擘窠、題署為第一，而詆東方朔〈贊多寶塔〉為俗筆，又貶蘇軾以肉襯紙，甚有俗氣，于楷法僅取其〈上清儲祥宮碑〉三種，務為高論，蓋猶其狂易之餘態。要亦各抒所見，固與無實大言者異矣。」[98]按《書訣》明云：「十五世祖姓豐諱稷，字相之」[99]，《提要》云「十世祖」者，誤也。又坊論蘇軾云：「早年學徐浩書，首廢懸腕之法，以肉襯紙，甚有俗氣；中年學顏魯公，晚學王簡穆，乃入能品。」[100]蓋軾廢懸腕之法，手肘必貼紙，即「以肉襯紙」也。

張壽鏞云：「其論篆體銘刻也，高下隨心，不衷一軌；述隸楷法帖也，雖多記名碑精本，而語有斷制，非純錄前言者比。大抵最錄前言，為書宜視其去取翦裁，而別其高下，操黜陟於寸心，校銖兩於腕底也。至於自為說，以表一技之能，一藝之妙，言必斷制，碻有所

---

96 《欽定續文獻通考》，卷188。

97 《四庫全書總目》，卷113，〈子部・藝術類二〉，頁5。

98 《四庫全書總目》，卷113，〈子部・藝術類二〉，頁5。

99 《書訣》，頁37。

100 《書訣》，頁37。

見，非鑿自空穴，雖未免於矜奇，要自為孤識，豈不可貴也哉！」[101]
是書今收於：

（一）《四庫全書》子部藝術類。

（二）《四明叢書》第四集。

（三）《美術叢書》第三集第六輯。

（四）《中國學術名著》第五輯《藝術叢編》第一輯《明人書學論著》。

四　《童學書程》

《千頃堂書目》及各家藏書志罕見著錄。

《（乾隆）鄞縣志》著錄一卷。[102]

是書因「書本童子之學」[103]，故稱《童學書程》。共分論用筆、論次第、論名言、論法帖、論墨蹟、論臨摹、學書次第之圖、楷書、行書、章草、草書、篆書、八分書等十三項。今收於：

（一）《玄鈔類摘》後

（二）《芋園叢書》子部

五　《筆訣》

《千頃堂書目》及各家藏書志罕見著錄。

王世貞云：「豐考功《筆訣》一冊，故鄞人豐道生所著。……皆采古八法精語而時時傅以己意，其最所宗事者右軍耳，兼享魏晉而旁

101　《四明叢書》，第4集，〈書訣序〉。

102　《（乾隆）鄞縣志》，卷21，〈藝文志上〉，頁54。

103　《童學書程》，頁5。

及唐人，至宋、元及近代，則齒牙餘剔耳。其書自古鐘鼎籀篆及小楷、行、草，凡十餘種，種各有法，而以筆滯故不能無利鈍。」[104]《佩文齋書畫譜》有其遺文數則。

六 《金石遺文》

《千頃堂書目》不著錄。

《欽定續文獻通考》[105]、《四庫提要》[106]著錄皆五卷。

《四庫提要》云：「此書雜采奇字分韻編次，但以真書一字直音於下，無所考證，亦不註所出，體制略近李登《摭古遺文》，雖未必全出依託，然以道生好撰偽書，凡所論撰，遂無不可疑，故世無遵用之者。此本又傳寫失真，益不足據矣。」[107]

七 《考功集》

《千頃堂書目》不著錄。

《國史經籍志》著錄；「《豐坊集》二卷。」[108]

《甬上耆舊詩》〈張時徹敘傳〉云：「豐人翁以落魄死，（時徹）為刻《考功集》。」[109]

徐時進云：「當豐先生時，吾郡大司馬張公惟靜（時徹）為主

104 《弇州山人四部稿》，卷136，頁20。
105 《欽定續文獻通考》，卷160，〈經部．小學類〉。
106 《四庫全書總目》，卷43，〈經部．小學類〉，〈存目一〉，頁18。
107 《四庫全書總目》，卷43，〈經部．小學類〉，〈存目一〉，頁18。
108 《國史經籍志》，卷5，頁288。
109 《甬上耆舊詩》，卷8，〈兵部尚書東沙張先生時徹敘傳〉，頁105。

盟，而於豐先生獨多遜，其序先生詩梓行之，則自今上丙子。」[110]丙子為萬曆四年（1576）。時徹所刊是集卷數，無明文記載。然《國史經籍志》所著錄之《豐坊集》二卷，似即時徹刊本。[111]萬曆四十五年（1617）坊曾孫建刻《萬卷樓集》時，已將時徹之本收入集中。[112]是時徹原刻雖或失傳，坊之詩文則未嘗亡也。

八　《萬卷樓集》

《千頃堂書目》及各家藏書志罕見著錄。

今國家圖書館所藏為明萬曆四十五年（1617）四明豐氏家刊本，計六卷，五冊。封面作「《豐考功集》。」

徐時進〈序〉云：「……去公（坊）捐容十年，其孫越人裒自散亡，故當不無濡逗。……歲丙辰（萬曆四十四年，1616年）溫陵蔡公體國奉璽書，視吾海上師選，問與公之曾孫孝廉建，嗟咨前事，且云人高視遠，遺物猶珍，矧文字而名在作者，壇忍令漫漶乃爾。於是孝廉君括諸門舊，并前所儲付剞人，而使君則以序命之不佞進。」[113]又云：「詩凡若干章，合之司馬公（張時徹）前所剞共若干章，大抵非里閈生前所得寓目。」[114]知此集乃合坊之孫越人與曾孫建所輯，並張時徹前所刻者而成。

是集卷一為序，卷二記、碑、銘，卷三賦、詩，卷四七言古詩，卷五五言、七言律詩，卷六五言絕句、五言、七言雜體詩· 所收皆正

110 《萬卷樓集》徐時進〈序〉。

111 焦竑《國史經籍志》刊於萬曆三十年（1602）。前此，除張時徹外，並無他人刊刻《豐坊集》，則焦氏所著錄者，殆為時徹刊本。

112 《萬卷樓集》徐時進〈序〉。

113 《萬卷樓集》，卷首。

114 《萬卷樓集》徐時進〈序〉。

德與嘉靖初年之作· 陳田云：「詩亦激宕凌厲，寫其牢騷不平之氣，才人不得志，大抵類此，不足怪也。」[115]

九 《真賞齋賦》

《千頃堂書目》及各家藏書志罕見著錄。

今見於繆荃蓀所編《藕香零拾》內。

此賦乃嘉靖二十八年（1549），坊為無錫華夏真賞齋而作。夏，字中甫，與文徵明、祝允明為摯友，構真賞齋於東沙。坊將齋中所藏金石、書畫、圖籍，逐一譜之於文，而以賦體為之。行文汪洋浩瀚，蓋亦追兩京之餘緒，成一代之鴻文者也。賦中奇字特多，頗符坊炫奇嗜博之個性。清顧廣圻為黃丕烈所作之〈百宋一廛賦〉，即脫胎於此。廣圻取坊之長而去其弊，可謂後來居上矣。

十 《南禺先生詩選》

《千頃堂書目》著錄二卷。[116]不詳何人何時所選。或即張時徹所刊書，而後人另立其名者。不敢以為一書，故別立一條。

十一 《南禺摘稿》

《寧波府志》著錄，不注卷數。[117]蓋亦後人摘選坊之遺稿而成。

115 《明詩紀事》，卷11下，〈丁籤〉，頁1。

116 《千頃堂書目》，卷23，〈集部．別集類〉，頁2。

117 《寧波府志》，卷35，〈藝文志上〉，頁6。

第二章
豐坊所作之偽書

第一節　豐坊作偽之動機及其偽作之書

一　豐坊作偽之動機

坊之作偽書，蓋在嘉靖十八年（1539）歸自史館以後。而為其作偽之資者有三：

（一）書藏豐富

坊家有萬卷樓，其書藏則起自南宋元祐間十五世祖稷，至坊時又刻意蒐購。〈世統本序〉云：「家故藏書萬卷，甫入仕籍，悉以俸入購書，又積萬卷。」[1]坊非但蒐購圖書，更兼及法書碑帖。《(光緒）鄞縣志》云：「負郭田千餘畝，盡鬻以購法書名帖。」[2]當時范氏天一閣未起，坊之書藏遂甲於四明。

（二）學識淵博

坊之藏書甲於四明，學識更罕有其匹。張時徹云：「南禺質稟靈奇，才彰卓詭，論事則談鋒橫出，擒詞則藻撰立成，九流百家，罔不涉其津涯，七步八叉，未足誇其捷麗，士林擬之鳳毛，藝苑方諸逸

1　《萬卷樓集》，卷1，頁1。
2　《(光緒）鄞縣志》，卷36，〈人物傳十一〉，〈豐存禮傳〉，頁4。

馴。」[3]徐時進云：「至四十外，非諸家近行，無他苑秘留公眄矣。」[4]

（三）精於書畫

清吳肅公云：「豐道生坊家，蓋古碑刻甚富，一一臨摹，自大小篆，古今隸草，無不明了，其中得意處，殘篇小碣，人驟見之，莫以為今人。」[5]《詹氏小辨》云：「（坊）書學極博，五體並能，諸家自魏、晉以及國朝，靡不兼通，規矩盡從手出，蓋工於執筆者也。」[6]除書法外，坊又工畫· 徐沁云：「（坊）所作山水不師古人，自成一家，造意高遠，兼寫花卉，點染成趣。」[7]

坊以其奇特之稟賦，兼有豐富之學識，本可高官顯爵，或主盟文壇，以立言自見。然由於「負才任性，目空一切」[8]，自通州同知落職後，親友故舊相知者已少；又數見張邦奇求復用，不為首肯；且嘉靖十六年（1537），父熙卒於福建戍所。連連挫折，內心侘傺不平已甚。嘉靖十七年（1538）及十八年（1539）兩度詣闕上書，思求進用，帝因邦奇之言，但詔付史館待命而已。因仕途坎坷，遂返家。以高才無所用，益悒悒不樂，因鬱抑而行事益放誕，親朋故舊愈加畏惡。遂潦倒於書淫墨僻中。[9]雖思以著述自見，或恐不見重於時人，乃作偽書，或託之古人，或託之外國，思以售其說，以厭其炫博之心理。坊既精書法，故所偽之書，皆以古篆文書之，託為《石經》，以迎合當時士人好奇之風氣。為使《石經》見信於人，又作各經《世

3 〔明〕張時徹：〈豐坊集序〉，引自《明詩紀事》，〈丁籤〉，卷11下，頁1。

4 《萬卷樓集》徐時進〈序〉。

5 《明語林》，卷10。

6 《詹氏小辨》，卷40，頁40。

7 《明畫錄》，卷4，頁2。

8 《寧波府志》，卷16，〈人物傳〉，頁12。

9 〔清〕葉昌熾：《藏書紀事詩》，卷2，頁110。

學》以推闡之，以證其有所傳承。更於《世學》中多引古人、先人或友朋之說以為佐證。如，欲證《石經魯詩》為真，則於《魯詩世學》云：

> ……唯豐清敏公藏唐初搨本。劉原父、趙明誠、陸農師、黃長睿、董彥遠、尤延之、洪景伯、吳才老、陸放翁，皆及見之。今內閣亦有石本，楊東里、魯西墅、程篁墩、李西涯、吳匏庵、喬白岩、何燕東、都南濠、王浚川、湛甘泉、崔後渠、陸巖山、楊升庵、舒梓溪、黃泰泉、唐荊川，皆有摹藏于家。[10]

復假託黃佐以自證，謂佐云：

> 予家食時見甘泉子云，「秘閣有《石經魯詩》。」心竊識之，既登第，謁先師一齋先生，出宋時摹本以示，因假歸慶壽寓館，手摹終篇，以復於甘泉，并質諸王浚川、陳虞山、陳琴溪、舒梓溪、王純甫、薛君采諸子，皆曰：「此孔門之的傳也。」[11]

凡此，除自證其說外，更炫其聞見之博。有疑其書者，則肆加反駁，甚至惡言相謗。季本本為坊之篤友，坊有〈旅況寄季彭山、唐荊川〉[12]，〈吳園憶季彭山、唐荊川〉[13]詩二首，可知兩人交誼甚深。本《詩說解頤》曾云《魯詩》不可信。[14]坊以季本有意發其偽，仍假託

10 《魯詩世學》，卷1，〈關雎〉首章下〈續考〉。

11 引自《魯詩世學》，卷4，〈鄘風〉大題下〈考補〉。

12 《萬卷樓集》，卷5，頁22。

13 《萬卷樓集》，卷5，頁25。

14 《詩說解頤》，卷2，〈訓詁傳授〉節，頁14。

黃佐之言，力予反駁。[15]復於《世學》篇中詈之，以洩其憤。如〈召南〉〈行露〉下〈考補〉云：

> 季本貪酷姦為，無行之小人也，故雖〈二南〉而目為淫詩，苟不明目張膽，暴其大惡於天下，則中華復為夷狄，人類盡為禽獸，流禍之慘，庸有窮哉！庸有窮哉！[16]

又〈衛風〉〈柏舟〉下〈考補〉云：

> 《孔叢子》記孔子曰：「吾於〈柏舟〉見匹夫不可奪志。」季本乃曰……偽學小人，別無聞見，輒以道聽塗說之言敢於非聖，四顧無人，膽似天深，可惡也哉！[17]

若此之類甚多，本乃當時最先疑《魯詩》者，坊遂罔顧私交，肆意譏謗。《皇明詞林人物考》謂豐氏之為人，「片語合意，輒出肝肺相昭，睚眥蒙嗔，即援戈戟交刺。」[18]以此徵之，實不誣也。

此外，先儒如毛公、鄭玄、朱子、王守仁等，亦在詆諆之列。如云「朱子食貧無計，賣書糊口，掠取新說，其價易增」[19]；又以「楊榮纂修《大全》，以其妻朱氏，故盡用朱子之說。」[20]其言妄誕類如此！

其所以然者，全祖望云：「皆此數萬卷書為之厲。」[21]黃宗羲云：

---

15 《魯詩世學》，卷1，頁21。

16 《魯詩世學》，卷2，頁7。

17 《魯詩世學》，卷3，頁1。

18 《皇明詞林人物考》，卷7，〈豐存禮傳〉，頁15。

19 《南雷文定三集》，卷2，頁39。

20 《南雷文定三集》，卷2，頁39。

21 《鮚埼亭集外編》，卷17，〈天一閣藏書記〉。

「坊一官不得志。無所不寄其牢騷。」[22]二家之說，於豐坊偽作古書之動機，可謂深中肯綮矣。

二　豐坊偽作之書

坊所偽者，皆屬經類，為數甚夥，惟其中有坊為炫其見聞之廣、蒐藏之富，而信口言之者，非實有其書也。今分外國本《尚書》、《魏三體石經》、《四經世學》等三類論述之。

（一）外國本《尚書》

所謂外國本《尚書》，即箕子朝鮮本及徐市倭國本兩種。朝鮮本為箕子封於朝鮮所傳；倭國本為徐市浮海至倭國後所傳。[23]坊〈古書世學序〉云：

> 正統六年（1441），慶官京師，朝鮮使臣嫣文卿，日本使臣徐睿入貢，二人皆讀書，能文辭，議論六經，出人意表，因以《尚書》質之。文卿曰：「吾先王箕子所傳。起神農〈政典〉，至〈洪範〉而止。」睿曰：「吾先王徐市所傳，起〈虞書〉〈帝典〉，至〈秦誓〉而止。」又笑官本錯誤甚多，孔安國偽〈序〉皆非古經之舊，……固請訂其錯誤，僅錄附先清敏公〈正音〉之下，俾讀是經者，尚有考於麟角鳳毛之遺雋云。[24]

可知坊所云之箕子《尚書》，乃「起神農〈政典〉至〈洪範〉而止」，

22 《南雷文定三集》，卷2，頁39。

23 《日知錄》，卷2，頁55。

24 《四庫全書總目》，卷13，〈經部．書類〉，〈存目一〉，頁16。

然坊又云：「箕子封於朝鮮，傳《書》古文，自〈帝典〉至〈微子〉而止，後附〈洪範〉一篇。」[25]則無神農〈政典〉，且〈洪範〉一篇為附錄，不屬正文。其相牴牾如此。顧炎武云：「箕子傳《書》古文，自〈帝典〉至〈微子〉，則不應別無一篇逸《書》，而一盡同伏生、孔安國之傳。」[26]據此，所謂朝鮮本《尚書》，乃取五十八篇《尚書》中堯、舜、夏、商四代之書為之。惟將〈堯典〉、〈舜典〉合稱〈帝典〉而已。然據黃宗羲引坊之言云：「文卿言其國《尚書》有四十一篇」[27]，是又與炎武所云不同。何者為是，已莫可詳考。其所以附錄〈洪範〉一篇者，「蓋徒見《左氏傳》三引〈洪範〉，皆謂之〈商書〉。」[28]又章句之不同者，如〈禹貢〉導山導水在九州之前；〈五子之歌〉「為人上者奈何不敬？」作「為人上者可不敬乎？」云云而已。[29]

倭國本《尚書》，起〈虞書〉〈帝典〉，至〈秦誓〉止。其篇數，黃宗羲引坊之言云：「睿言其國〈周書〉有八十二篇，而〈周書〉第七十八篇為〈孔子之命〉，敬王命仲尼為大司寇相魯而作。其八十二，方為〈秦誓〉。書依年而次，〈秦誓〉之作，在魯僖公三十三年（周襄王三十五年，西元前627年）。」[30]是大不同於五十八篇《尚書》。

二書之為偽妄，顧炎武已辨之。[31]然坊既云二使者「僅錄一〈典〉、二〈謨〉、〈禹貢〉、〈盤庚〉、〈泰誓〉、〈武成〉、〈康誥〉、〈酒誥〉、〈洛誥〉、〈顧命〉見示。」[32]則坊所偽者，似僅上舉數篇而已，

---

25 《四庫全書總目》，卷13，〈經部・書類〉，〈存目一〉，頁16。

26 《日知錄》，卷2，頁55。

27 《南雷文定三集》，卷2，頁39。

28 《日知錄》，卷2，頁55。

29 《日知錄》，卷2，頁55。

30 《南雷文定三集》，卷2，頁39。

31 《日知錄》，卷2，頁55。

32 《四庫全書總目》，卷13，〈經部・書類〉，〈存目一〉，頁16。

非有全書也。至於作偽者，顧炎武以為坊父熙所偽，全祖望已辨正之[33]，實乃出諸坊手也。

(二)《魏三體石經》

《魏三體石經》刊刻之時代、經數，王國維氏〈魏石經考〉[34]已詳為考正。坊所偽與真石經無一相合，其偽妄自不待言。此敘其作偽之經數及內容。按《魯詩世學》云：

> 《三體石經》，魏主邵陵厲公正和二年重校諸經，……詔虞喜、邯鄲惇，鍾會，以三體書刻之于石。三體者，喜摹孔壁古文，而淳以小篆，會以八分附其後，蓋以釋古文，使人易曉也。[35]

《石經》之經數，坊云：「《正和石經》，隋大業末，薶于秘省，……宋詔開河，……得三體七經之石……。」[36]知《石經》為七種。然鄭曉《古言》云：

> 魏政和中詔諸儒虞松等考正五經，衛覬、邯鄲淳、鍾會等以古文小篆八分刻之於石，始行《禮記》，而〈大學〉、〈中庸〉傳焉。[37]

鄭曉之言，雖不云傳自何人，疑出自坊。蓋坊信口雌黃，故所言經數及書石，時不相符。據後人記載與坊自述，其所偽之《石經》，或不

---

33 《結埼亭集外編》，卷19，〈豐學士畫像記〉，頁918。

34 《觀堂集林》，卷20，〈魏石經考〉，頁955-975。

35 《魯詩世學》，卷1，〈關雎〉首章下〈續考〉。

36 《魯詩世學》，卷1，頁21。

37 《古言》，卷上，頁8。

止七種，而有九種。王文祿云：

> 曹魏正始四年刻《三體石經》，豐南禺示《書》及《魯詩》，與今不同，口授〈大學〉，亦不同，奇古可愛也。[38]

則《石經》，除《禮記》外，又有《尚書》及《魯詩》。又全祖望云：

> 世所傳《石經河圖》、《石經魯詩》、《石經大學》、外國本《尚書》，皆出自學士子考功所偽撰。[39]

知《石經》又有《河圖》也。又坊《古易世學》云：

> 《十翼》皆孔子所作，……鄭、費以來又有錯亂。今悉以《石經》為定。[40]

則《石經》又有《周易》也。又坊《春秋世學》於十二公，必先以古文書其名，如隱公作「乚公」，坊自註云：「此《石經》古文也。」[41]則《石經》又有《春秋》也。又《子貢詩傳》〈周南〉下〈正說〉云：

> 此《石經》所刻孔氏《詩傳》，子貢述之，所以發明一詩之大旨者也。[42]

---

38 《竹下寤言》，卷1，頁17。

39 《鮚埼亭集外編》，卷19，〈豐學士畫像記〉，頁918。

40 《古易世學》，卷5，〈周易彖上翼〉〈略說〉。

41 《春秋世學》，卷1。

42 見明藍格鈔本及舊鈔本《詩傳》。

則《石經》又有《子貢詩傳》也。另坊《書訣》〈魏石經〉中有《毛詩》、《左傳》、《爾雅》、《論語》、《三墳書》等。[43]則坊所偽之《石經》似有《周易》、《尚書》、《魯詩》、《毛詩》、《春秋》、《左傳》、《禮記》(〈大學〉、〈中庸〉)、《論語》、《爾雅》、《河圖》、《子貢詩傳》、《三墳書》等十數種。然如《毛詩》、《論語》、《爾雅》、《三墳書》等，遍考坊之其他著作及後世載籍，皆不之及，似為「有目無書」。《禮記》一書，亦僅〈大學〉、〈中庸〉二篇而已，其他無所聞。則坊所偽《石經》應為《周易》、《尚書》、《魯詩》、《春秋》、《左傳》、《大學》、《中庸》、《河圖》、《子貢詩傳》等九種。

諸書除《大學》、《子貢詩傳》外，餘並亡佚，今則第知其梗概。《周易》、《尚書》、《魯詩》、《春秋》、《左傳》等，既為各《世學》所據，則其篇章順序，文字異同，可於各《世學》中覘之。《中庸》一書，坊云：

> 予家傳曹魏正始四年《三體石經》搨本，《中庸》止差三段，……「子曰道不行矣夫」，接「子曰道之不行也」章；「察乎天地」接「君子之道，譬如行遠必自邇」章；「其如示諸掌乎」接「子曰鬼神之為德」，其嚴謹如此。[44]

知《石經中庸》與《古本中庸》，章節不同者而已。《河圖》一書，內容已無可考。《大學》與《子貢詩傳》，以影響深遠，當於第二三兩節詳論之。

43 《書訣》，頁8。

44 引自《百陵學山》中所收之王文祿〈中庸古本前引〉，頁6。

(三)《四經世學》

坊所著經書，錢謙益[45]及《明史》[46]，皆云有「《十三經訓詁》」。全祖望有〈題豐氏《五經世學》〉[47]一文，余嘉錫遂據以云：「坊但有《五經世學》，而無《十三經訓詁》，錢氏考之不詳，《明史》亦誤從之。」[48]今據《千頃堂書目》、《四庫提要》及私家藏書志，但有《古易》、《古書》、《魯詩》、《春秋》等四《世學》，無《五經世學》之目，不知全氏何所據？余氏誤從之，是又疏於詳考者也。今將《四經世學》分述如下：

1 《古易世學》 存

《千頃堂書目》[49]、《欽定續文獻通考》[50]、《明史》〈藝文志〉，[51]並作十五卷。

《四庫提要》經部易類存目作十七卷。

今故宮博物院藏藍格舊鈔本六卷八冊。題豐稷〈正音〉、豐寅初〈略說〉、豐慶〈續音〉、豐耘〈補音〉、豐熙〈傳義〉、道生〈考補〉。卷一〈周易彖上經〉，卷二〈彖下經〉，即《周易》之卦辭。俱用古文書之，或即所謂《石經周易》之古文。卷三〈繫上經〉，卷四〈繫下經〉，即《周易》之爻辭。卷五〈彖上翼〉，卷六〈彖下翼〉，即《周易》之〈彖傳〉。此四卷皆無古文。

---

45 《列朝詩集小傳》，〈豐坊傳〉，頁407。

46 《明史》，卷191，〈豐坊傳〉。

47 《鮚埼亭集外編》，卷34，頁861。

48 《四庫提要辨證》，卷1，〈經部一〉，〈詩說〉條，頁42。

49 《千頃堂書目》，卷1，〈經部．易類〉，頁15。

50 《欽定續文獻通考》，卷144，頁4072。

51 《明史》，卷1，〈藝文志〉經類。

卷五〈周易彖上翼〉〈略說〉云：「《十翼》皆孔子所作，一曰〈彖上翼〉、二曰〈彖下翼〉、三曰〈繫上翼〉、四曰〈繫下翼〉、五曰〈象上〉、六曰〈象下〉、七曰〈序易上〉、八曰〈序易下〉、九曰〈說卦〉、十曰〈文言〉，鄭、費以來多有錯亂，今悉以《石經》為定。」其《十翼》，除將〈序卦〉分為〈序易上〉、〈序易下〉二篇，並去〈雜卦〉外，所列之順序，亦與孔穎達《周易正義》所云不同。[52]其所以改易篇第者，因孔氏云：「但數《十翼》，亦有多家。」蓋有所憑而馳騁其意。是書缺〈象上〉、〈象下〉、〈序易上〉、〈序易下〉、〈說卦〉、〈文言〉等六翼，似為殘本。

書中多引先賢之說，如程子、誠齋楊氏、朱子、彭山季氏、虛齋蔡氏、邵子等，不下數十家，是又炫其博者也。

2 《古書世學》 未見

《千頃堂書目》[53]、《欽定續文獻通考》[54]、《經義考》[55]、《四庫提要》[56]等俱作六卷。

《四庫提要》云：「是篇以今文、古文《石經》列於前，而後以楷書釋之，且采朝鮮、倭國二本以合於古本，故曰『古書』。又以豐氏自宋迄明世學古書，稷為〈正音〉、慶為〈續音〉、熙為〈集說〉、道生為〈考補〉，故曰『世學』。」[57]據此，此書乃合今、古文《石

---

52 《周易正義》〈論夫子《十翼》〉云：「……故一家數十翼云：上〈彖〉一、下〈彖〉二、上〈象〉三、下〈象〉四、上〈繫〉五、下〈繫〉六、〈文言〉七、〈說卦〉八、〈序卦〉九、〈雜卦〉十。鄭學之徒，並同此說，故今亦從之。」

53 《千頃堂書目》，卷1，〈經部・書類〉，頁25。

54 《欽定續文獻通考》，卷147，頁4086。

55 《經義考》，卷89，頁2。

56 《四庫全書總目》，卷13，〈經部・書類〉，〈存目一〉，頁16。

57 《四庫全書總目》，卷13，〈經部・書類〉，〈存目一〉，頁16。

經》及朝鮮、倭國等四本而成。其所稱之今文《石經》，蓋指《熹平石經》（坊稱《鴻都石經》）；古文《石經》，蓋指《魏三體石經》。而《石經》明人所能見者，僅洪氏《隸釋》、《隸續》中之殘字，其餘久已不存，則此書之偽，自不待辨矣。

3 《魯詩世學》 存

《千頃堂書目》[58]、《經義考》[59]，俱作三十六卷。注云：「一作十二卷」。

《明史》〈藝文志〉卷一經類著錄三十六卷。

《欽定續文獻通考》卷一四九著錄三十二卷。

今故宮博物院藏明越勤軒藍格抄本三十六卷，前四卷為《子貢詩傳》。各簿錄所云三十六卷者，其前四卷，或皆《子貢詩傳》也。

中央研究院歷史語言研究所傅斯年圖書館藏舊鈔本三十二卷。卷首一卷為《子貢詩傳》與〈子夏詩序〉。《詩傳》原附於《世學》，〈詩序〉則傳鈔者為便於翻閱所附益。

是書題豐稷〈正音〉、豐慶〈續音〉、豐耘〈補音〉、豐熙〈正說〉、道生〈考補〉、邵培〈續考〉。前有嘉靖四十一年（1562）香山黃佐序，實係坊所偽託。

卷十六〈小疋〉大題下〈正說〉云：「今於詩篇次序悉以石經為正，大義全主子貢、申公，而漢、唐、宋、元諸儒之說有暗合者，亦擇取其長以推演之，庶幾詩之本旨可明而周公制作之舊可考，孔子刪述之旨可求矣。」其次序，以所謂《石經魯詩》為主。其〈風〉、〈雅〉、〈頌〉之順序，與《毛詩》不同，茲分列如下：

58 《千頃堂書目》，卷1，〈經部・詩類〉，頁34。

59 《經義考》，卷113，頁4。

《毛詩》：周南、召南、邶、鄘、衛、王、鄭、齊、魏、唐、秦、陳、檜、曹、豳。

《世學》：周南、召南、邶、鄘、衛、王、齊、魏、唐、曹、鄶、鄭、陳、秦、豳。

其〈小雅〉，雅字作疋，分〈小疋〉、〈小疋續〉、〈小疋傳〉；〈大雅〉改稱「大疋」，分〈大疋〉、〈大疋續〉、〈大疋傳〉三類。〈周頌〉僅稱「頌」，〈魯頌〉則僅稱「魯」。

詩篇之次序，頗異於《毛詩》。〈邶〉、〈鄘〉、〈衛〉三風之詩，有重編者。又有本為〈風〉詩而入〈疋〉，本為〈疋〉詩而入〈風〉者。篇名多非原詩之舊，分章亦有與《毛詩》不同者。更取《左傳》、《史記》中之古樂歌以補詩，而云毛、鄭有闕。凡與毛、鄭不同者，則云「以《石經》為定」，並斥先儒之說為非。

每篇首章後〈正說〉多引「申公曰」、「朱子曰」等以明詩意，又以季本云《魯詩》不可信，遂於〈考補〉詆本。其偽妄處，清儒已多所論證，此不再贅。其篇章次序、篇名，與《詩傳》、《詩說》關係甚為密切，故於第三節討論《詩傳》時，所列之表，皆兼及《魯詩世學》、《詩說》二書，以便互相參證。

4 《春秋世學》 存

《千頃堂書目》著錄三十八卷。[60]

《國史經籍志》[61]、《欽定續文獻通考》[62]、《四庫提要》[63]俱作三

---

60 《千頃堂書目》，卷2，〈經部・春秋類〉，頁10。

61 《國史經籍志》，卷1，〈經類〉。

62 《欽定續文獻通考》，卷154，頁4117。

63 《四庫全書總目》，卷30，〈經部・春秋類〉，〈存目一〉，頁11。

十二卷。

今故宮博物院藏明朱絲闌鈔本三十二卷十六冊。

是書題豐稷〈案斷〉，十五世孫道生〈釋義〉。書中十二公之名，皆以古文書之，云「此《石經》古文也」。傳文迄哀公十三年止。經傳相交錯，非如杜預《集解》傳次於經之後也。其經傳文之與今本《左傳》不同者，皆云依《石經》。書中多引先賢之說，如章貢李氏、東山趙氏、息齋高氏、胡文定公等數十家，蓋亦旁徵博引以炫其博者也。

《魏石經》雖刻有《春秋》及《左氏傳》（莊公中葉為止），然原碑早亡，搨本明人亦不及見，則坊所據之《石經》，其偽妄，固不待言矣。

第二節　《石經大學》考

一　《石經大學》之出現及傳本

《石經大學》，今人皆知豐坊所作。當其出現時，諸儒皆信以為真。有關其出現之記載，均見於王文祿及鄭曉之著作。文祿云：

> 壬戌季冬，予會豐南禺于海上，因言《中庸古本》曰：「予家傳曹魏正始四年《三體石經》榻本，《中庸》止差三段，《大學》甚多，……」[64]

壬戌為嘉靖四十一年（1562）。是文祿為最初得知有《石經大學》

64 〈中庸古本前引〉，頁6。

者。然文祿僅得諸坊之口傳，並未見原書。文祿又云：

> 癸亥冬，淡泉鄭公曰：「潘朴溪（潢）示蔡邕《石經大學》『止(於)至善』下接『古之欲明明德』，後忘之。」[65]

癸亥為嘉靖四十二年（1563）。知《石經大學》之傳本已由潘潢傳之鄭曉，曉又告文祿。然曉所云為《漢石經》，非《魏石經》。後曉於其《古言》云：

> 又有《石經大學》，與《古本大學》不同。魏政和中詔諸儒虞松等考定《五經》，衛覬、邯鄲淳、鍾會等以古文、小篆、八分刻之於石，始行《禮記》而〈大學〉、〈中庸〉傳焉。松表述賈逵之言曰：「孔伋窮居於宋，懼先聖之學不明，而帝王之道墜，故作〈大學〉以經之，〈中庸〉以緯之，則〈學〉、〈庸〉皆子思所作。」經緯之說亦不為無見，蓋必有所受矣。戴、鄭、賈三家皆不分經傳。經傳分於宋儒。[66]

則曉又以《石經大學》為《魏石經》矣。曉前所云，蓋承潘潢之誤。後從許仁卿宅得原書[67]，始確定為《魏石經》。並述其傳授源流及刊石經過，言之鑿鑿，後世多信以為真。然辨其偽者，亦據此駁斥之。

嘉靖四十三年（1564），文祿又得坊口授《石經大學》。[68]文祿不知曉《古言》所記者，即出於坊。遂以坊所授者，與之相質，內容相合。

---

65 王文祿之跋見於〔明〕王陽明：《大學古本問》，頁9。

66 《古言》，卷上，頁8。

67 毛奇齡：《大學證文》，卷2，頁2。

68 王文祿之跋見於〔明〕王陽明：《大學古本問》，頁9。

故云：「淡泉公篤學不妄語，南禺公家學有淵源，文獻皆足徵」，乃「急梓以行，用表聖門第一心學。」[69]然則《石經大學》乃初刻於文祿也。此後傳刻、疏釋《石經大學》者，不下數十家，諸書多已亡佚，見存者有：

（一）明王完增輯《丘陵學山》本

（二）明王文祿增輯《百陵學山》本

（三）明人重輯《百川學海》本

（四）明邵闇生輯《蘉古介書前集》本

（五）宛委山堂《說郛》本

（六）《叢書集成初編》本

此外，明劉斯原《大學古今本通考》及清毛奇齡《大學證文》，並收錄之。

二 《石經大學》之章節次序

《石經大學》之章節，王文祿以為「首尾脈絡貫通」[70]，劉宗周以為「文理益覺完整」。[71]茲錄其章節次序如下：

（一）首「大學之道」至「止於至善」。

（二）次「古之欲明明德於天下者」至「致知在格物」。

（三）次「物有本末」至「則近道矣」。

（四）次「《詩》云：緡蠻黃鳥」至「可以人而不如鳥乎」。

（五）次「知止而后有定」至「慮而后能得」。

（六）次「《詩》云：邦畿千里，惟民所止」。

69 〈大學石經古本序引〉，頁2。

70 王文祿之跋見於〔明〕王陽明：《大學古本問》，頁9。

71 見劉氏自序〈大學古文參疑〉，收在《劉子全書》。

（七）次「子曰：聽訟吾猶人也」至「此謂知本」。

（八）次「自天子以至於庶人」至「而其所薄者厚，未之有也。」

（九）次「物格而后知至」至「國治而后天下平」。

（十）次「此謂知本，此謂知之至也。」

（十一）次「所謂誠其意者」至「故君子必誠其意」。

（十二）次「所謂修身在正其心者」至「此謂修身在正其心」。案：此節「食而不知其味」下，豐氏刪去「此謂修身在正其心」八字，另加入「顏淵問仁。子曰：非禮勿視，非禮勿聽，非禮勿言，非禮勿動。」二十二字。

（十三）次「所謂齊其家在脩其身者」至「此謂身不脩不可齊其家」。

（十四）次「所謂治國必先齊其家者」至「慈者所以使眾也」。

（十五）次「一家仁」至「一人定國」。

（十六）次「〈康誥〉曰：如保赤子」至「未有學養子而后嫁者也」。

（十七）次「故治國在齊其家」至「此謂治國在齊其家」。

（十八）次「所謂平天下在治其國者」至「此之謂民之父母」。

（十九）次「〈泰誓〉曰：若有一個臣」至「菑必逮夫身」。

（二十）次「《詩》云：節彼南山」至「辟則為天下僇矣」。

（二十一）次「是故君子先慎乎德」至「財散則民聚」。

（二十二）次「《詩》云：殷之未喪師」至「失眾失國」。

（二十三）次「〈楚書〉曰：楚國無以為寶，惟善以為寶」。

（二十四）次「是故言悖而出者」至「亦悖而出」。

（二十五）次「〈康誥〉曰」至「不善則失之矣。」。

（二十六）次「舅犯曰」至「仁親以為寶」。

（二十七）次「仁者以財發身」至「未有府庫財非其財者也」。

（二十八）次「生財有大道」至「則財恆足矣」。

（二十九）次「孟獻子曰」至「以義為利也」。

（三十）次「是故君子有大道」至「驕泰以失之」。

（三十一）次「堯、舜帥天下以仁」至「而能喻諸人者，未之有也」。

（三十二）次「〈康誥〉曰：克明德」至「無所不用其極」。

（三十三）次「《詩》云：穆穆文王」至「此以沒世不忘也」。

三　《石經大學》辨偽

《石經大學》經鄭曉、王文祿兩人之表章，天下士人翕然從之，且有欲頒之學官者。（其影響詳見第四章第一節）雖然，發其偽者亦不乏人。楊時喬著《大學古今四體文》云：

> 唐氏（伯元）〈請頒《石經》疏〉引賈逵「孔伋窮居於宋，懼聖道之不明，乃作〈大學〉以經之，〈中庸〉以緯之」數語，歷代史傳未見採錄，即在他書所載有之，亦傳聞偶謁之言，未可信。[72]

時喬據賈逵之言以《石經》之來歷辨其偽。後陳耀文著《經典稽疑》云：

> 據〈瓘傳〉遡〈魏志〉，則覬之死太和三年也，時松年十五歲，會方五歲耳。松信才矣，豈十五即受考正《五經》之詔耶！會夙成矣，五歲即能與覬等書石耶！正始中立《石經》已

72 《四書考異》，〈總考四〉，〈偽石經大學〉條。

> 轉失淳法，則覬死已十五、六年，而淳之卒久矣，可云與會等書石耶？且《石經禮記》碑上有馬、蔡名，會十三已誦《周禮》、《禮記》，可云始行《禮記》而〈學〉、〈庸〉傳耶？〈逵傳〉止云四經，不及《禮記》，則逵之言出何典記耶！何鄭在逵後，而註不言之，穎達為《疏》，而亦略不及耶！文昔官諫垣時，曾與鄭公曉同事，恨未早見公之書，得以面稽其疑云。[73]

耀文就曉所云刊石者之時代，及《禮記》之傳授辨之。《石經大學》之偽已證據確鑿。然由於信從者多為鉅公大儒，耀文所論，不為人所重。其後瞿汝稷《石經大學質疑》云：

> 魏者偽也，魏無政和而言政和，亡是子虛之謂也。[74]

吳應賓著《古本大學釋論》亦云：

> 《石經大學》非真石經也，……按魏文帝始以黃初紀元，在明帝則為太和，為青龍，為景初；在齊王芳則為正始，為嘉平；在高貴鄉公，則為正元，為甘露；在元帝則為景元，為咸熙，而禪於晉，未嘗有政和之年號。[75]

汝稷及應賓皆就年號辨之。另謝兆申著《石經考證》[76]、吳秋圃著

---

73 《經典稽疑》，卷上，頁47。

74 《經義考》，卷160，頁1，豐坊《石經大學》條引。

75 《經義考》，卷160，頁1，豐坊《石經大學》條引。

76 〈湖廣提刑按察司僉事晉階朝列大夫管公行狀〉云：「綏安謝兆申作《石經考證》尤為詳竅。」見《牧齋初學集》，卷49，頁565。

《大學通考》[77]、陳龍正《學言詳記》[78]等，亦多所辨證。

上述數人，雖力辨《石經大學》之偽，然終明之世，竟無以定其偽。至清，毛奇齡著《大學證文》，推演耀文之言，並力斥唐伯元疏之非。[79]朱彝尊《經義考》[80]及翟灝《四書考異》[81]，復有所辨，《石經大學》之偽，始成定讞。實則，漢魏兩《石經》，俱未刻《禮記》。既無《禮記》，安有〈大學〉？即此已足證《石經大學》之偽，固無煩多所辨證也。

第三節　《子貢詩傳》考辨

一　《子貢詩傳》之來歷

《詩傳孔氏傳》，一名《魯詩傳》，題「衛端木賜子貢述」，故又稱《子貢詩傳》。後世言其來歷者雖有數家，然多不得其實。今辨證如下：

（一）明朱朝瑛云

> 嘉靖初，有偽《子貢詩傳》及《申培詩說》。……當時好事者翕然稱之，如黃泰泉（佐）、季彭山（本）雖未之深信，已不能無惑其說。豐一齋（熙）則著《魯詩正說》，信之最深，子

---

77 劉宗周〈大學古文參疑〉自序云：「近見海鹽吳秋圃著《大學通考》輒辨（《石經大學》）以為贗鼎。」

78 《經義考》，卷160，頁1，豐坊《石經大學》條引陳龍正云：「《石經大學》出自豐坊，云得之某處，明是坊為之，而鄭端簡重其書。」

79 《大學證文》，卷2，〈魏正始石經改本〉。

80 《經義考》，卷160，頁1，豐坊《石經大學》條。

81 《四書考異》，上編，卷4，〈偽石經大學〉，頁116。

> 南禺任誕而多才，又加緣飾焉。然其書猶未見稱於世。萬曆中，鄒筆敏復為《詩傳闡》，廣據博引，以證其不謬。於是讀之者目眩而不能察。舌撟而不能下，幾無以別其真偽矣。[82]

朱氏蓋據《魯詩世學》言之。《世學》前有黃佐〈序〉，敘述《詩傳》及《魯詩》之源流授受；書中之〈正說〉，又多引申公說，間及《子貢傳》；又有坊之〈考補〉。故朱氏云豐熙信之最深，坊又加緣飾。然《世學》實坊一人所為，非傳之先世也。《世學》既偽，朱氏之說亦難採信矣。且《詩傳》最早刻於隆慶二年（1568）關中王完之《丘陵學山》中。前此，除坊採用，並附入《世學》外，一無他人論及。朱氏云出於嘉靖初，且「當時好事者翕然稱之」之說，實誤以萬曆年間之事，為嘉靖初也。

（二）毛奇齡云

> 《詩傳》子貢作，《詩說》申培作，向來從無此書，至明嘉靖中，廬陵中丞郭相奎家忽出藏本見示，云得之黃文裕（佐）秘閣石本，然究不知當時所為石本者何如也。[83]

（三）姚際恆云

> 嘉靖中，廬陵郭相奎家忽出此二書，以為得之香山黃佐。[84]

毛、姚二氏之說，或相為因襲，然實取材於郭子章之《二賢詩傳小序》〈序〉。子章云：

---

82 《讀詩略記》，卷首，頁9。

83 《詩傳詩說駁議》自序。

84 《古今偽書考》，《詩傳》、《詩說》條。

> ……得黃文裕秘閣《子貢詩傳》石本，……《詩傳》原未有刻，與成都守詹思謙分校，并《小序》刻之。[85]

子章之言頗為可疑。按黃佐卒於嘉靖四十五年（1566），此時子章二十四歲。前此子章足不出江西廬陵，何由從廣東黃佐處得《詩傳》石本？子章於萬曆十年（1582）遷潮州太守，十三年（1585）始讀黃佐所著書。[86]其得《詩傳》，或在官潮州守之數年間。後子章調四川學政，於萬曆十七年（1589）刊刻《詩傳》時，或受《魯詩世學》佐所云「先師（熙）既沒，佐起為宮詹，獲睹秘閣石本」[87]之影響，遂託言得之黃佐。毛、姚二氏不加詳考，誤以為真，更以子章所刻之《詩小序》為《詩說》，遂言之鑿鑿，以為二書於嘉靖中同時出自子章家。不知嘉靖中子章猶未出生也！又子章云《詩傳》前未有刻本，然隆慶二年（1568）已有王完刻本。或因交通阻隔，子章未及見之；或子章故炫其先為流傳，而淹沒王完刻本，今已不能詳。而余嘉錫遂信以為真，云「《詩傳》刻本，實始於子章」[88]，是又疏於詳考者也。

《詩傳》既非出現於嘉靖初，又非出於郭子章家，則其出現之時間、地點，似以朱彝尊之說較為可信。朱氏云：

> 《子貢詩傳》，自漢迄宋，志藝文者，不著於錄。嘉靖中，忽出於鄞人豐道生之家。[89]

85 《二賢詩傳小序》〈序〉，《聖門傳詩嫡冢》前附。
86 《青螺公年譜》，頁11，在《青螺公遺書》內。
87 《魯詩世學》，卷首，黃佐〈序〉。
88 《四庫提要辨證》，卷1，〈經部一〉，頁41。
89 《經義考》，卷160。

《詩傳》因以古篆文為之，又頗多闕文，後人多信以為真，爭相傳刻，流傳遂廣。

二　《子貢詩傳》版本異同考

《詩傳》出現後，由於以古篆文書之，當時皆以為子貢真傳，故傳鈔翻刻者甚多，內容因而有所不同。茲就現存之本，或其本雖佚，而可考見其內容者，分鈔本與刻本兩類論述之。

（一）鈔本

1 明藍格鈔本四卷。附於藍格鈔本《魯詩世學》前。

2 舊鈔本一卷。附於舊鈔本《魯詩世學》前。

此兩種鈔本，分卷雖不同，內容則相同。其十五〈國風〉及〈疋〉、〈頌〉之順序為〈周南〉、〈召南〉、〈邶〉、〈鄘〉、〈衛〉、〈王〉〈齊〉、〈魏〉、〈唐〉、〈鄶〉、〈鄭〉、〈曹〉、〈陳〉、〈秦〉〈豳〉、〈小疋〉、〈小疋續〉、〈小疋傳〉、〈大疋〉、〈大疋續〉〈大疋傳〉、〈頌〉、〈商頌〉、〈魯頌〉。各詩篇後皆有豐熙〈正說〉、豐坊〈考補〉、邵培〈續考〉等音釋之文。

（二）刻本

甲　不附音釋者

1 明王完輯《丘陵學山》本

2 明王文祿增輯《百陵學山》本

3 明李維楨《二賢言詩》本

4 明何允中輯《廣漢魏叢書》本

5 明胡文煥輯《格致叢書》本
6 明毛晉輯《津逮秘書》本
7 明鍾惺輯《古名儒毛詩解十六種》本
8 明陶珽重編《說郛》本
9 清《古今圖書集成》本
10 清王謨《增訂漢魏叢書》本
11《叢書集成初編》本（據《百陵學山》本影印）

乙 附音釋者

1 明郭子章《二賢詩傳小序》本（原本已佚）
2 明周著刻本（原本已佚）
3 明萬尚烈《詩傳合測》本（原本已佚）
4 明淩濛初《聖門傳詩嫡冢》本

甲、乙兩類刻本〈風〉、〈疋〉、〈頌〉之次序，同為〈周南〉、〈召南〉、〈魯〉、〈邶〉、〈鄘〉、〈衛〉、〈王〉、〈齊〉、〈魏〉、〈唐〉、〈曹〉、〈鄶〉、〈陳〉、〈秦〉、〈小疋〉、〈小疋續〉、〈小疋傳〉、〈大疋〉、〈大疋續〉、〈大疋傳〉、〈周頌〉、〈商頌〉。所不同者為乙類刻本有〈正說〉、〈考補〉、〈續考〉等音釋。依此，乙類刻本〈風〉、〈疋〉、〈頌〉之順序，似應同於鈔本，始為合理。然反同於甲類刻本，此甚不可解。或郭子章刊刻時，曾依王完《丘陵學山》本更動〈風〉、〈疋〉、〈頌〉之次序。今已不得其詳矣。

鈔本與刻本〈風〉、〈疋〉、〈頌〉之次序既有不同，且刻本似與《魯詩世學》及《申培詩說》有關，故合併列表於下：

鈔本詩傳	魯詩世學	刻本詩傳	詩說
風	風	風	風
周南	周南	周南	周南
召南	召南	召南	召南
邶	邶	魯	魯
鄘	鄘	邶	邶
衛	衛	鄘	鄘
王	王	衛	衛
齊	齊	王	王
魏	魏	齊	齊
唐	唐	魏	魏
鄶	曹	唐	唐
鄭	鄶	曹	曹
曹	鄭	鄶	鄶
陳	陳	鄭	鄭
秦	秦	陳	陳
豳	豳	秦	秦
小疋	小疋	小疋	小疋
小疋	小疋	小疋	小疋
小疋續	小疋續	小疋續	小疋續
小疋傳	小疋傳	小疋傳	小疋傳
大疋	大疋	大疋	大疋
大疋	大疋	大疋	大疋
大疋續	大疋續	大疋續	大疋續
大疋傳	大疋傳	大疋傳	大疋傳
頌	頌	頌	頌
頌	頌	周頌	頌
商頌	商頌	商頌	頌
魯頌	魯頌		商頌

鈔本與刻本〈風〉、〈疋〉、〈頌〉之次序，顯有不同。此種不同，華亭王蕙於讀明藍格鈔本《詩傳》時，即已發覺，並願質之高明。[90]然近三百年來，竟無人加以解釋。兩種版本之最大不同，即刻本合鈔本之〈豳風〉、〈魯頌〉為一，稱〈魯風〉。另鈔本〈曹風〉在〈鄭風〉後，序第十二；刻本則移於〈唐風〉後，序第十。茲再列表於下：

鈔本詩傳	魯詩世學	刻本詩傳	詩說
豳風	豳風	魯風	魯風
豳風	邠風		
鴟鴞	鴟鴞	鴟鴞	鴟鴞
東山	東山	東山	東山
狼跋	狼跋	狼跋	狼跋
伐柯	伐柯	九罭	伐柯
九罭	九罭	伐柯	九罭
破斧	破斧	破斧	破斧
魯頌	魯		
閟宮	駉	楚宮	楚宮
泮水	楚宮	駉	駉
定之方中	泮水	泮水	泮宮
駉	有駜	有駜	有駜
有駜	閟宮	閟宮	閟宮

刻本《詩傳》與《詩說》所以合〈豳風〉及〈魯頌〉為〈魯風〉，疑受《魯詩世學》之影響《世學》〈豳風〉〈邠風〉下〈正說〉云：

> 毛氏謬以此篇（〈邠風〉）及〈魯風〉〈鴟鴞〉、〈東山〉、〈狼

90 明藍格鈔本《詩傳》，卷3末，〈跋〉。

> 跋〉〈九罭〉、〈破斧〉改為〈豳風〉。[91]

則《世學》直以〈鴟鴞〉以下五篇為〈魯風〉矣。觀其〈魯頌〉祇稱「〈魯〉」，下注云：「毛、鄭諸本作〈豳風〉、〈魯頌〉，非。」又尾題後《考補》云：「……實有〈魯風〉而無〈豳風〉。」[92]則《世學》併〈豳風〉、〈魯頌〉為〈魯風〉之意已甚顯，祇未將其移入〈召南〉之後而已。刻本《詩傳》及《詩說》所以將其合而為一，亦不過順《世學》之意而已。另刻本《詩傳》及《詩說》，又將〈豳風〉之〈豳風〉（《世學》作〈邠風〉，即《毛詩》之〈七月〉）入〈小疋〉。《世學》〈豳風〉〈邠風〉下〈正說〉云：

> （〈邠風〉）實〈小疋〉之體，與〈國風〉不同。[93]

可知亦受《世學》之影響矣。

鈔本與刻本《詩傳》，除上述〈風〉、〈疋〉、〈頌〉合併之不同外，篇目次序亦多不一致，有鈔本在〈小疋〉，而刻本在〈小疋續〉者；更有鈔本在〈大疋傳〉，而刻本在〈小疋〉者。茲再列表如下：

鈔本詩傳	魯詩世學	刻本詩傳	詩說
小疋　出車	小疋續　出車	同上	同上
小疋　采薇	小疋續　采薇	同上	同上
小疋傳　白駒	小疋　白駒	同上	同上
大疋傳　懿戒	小疋　懿戒	同上	同上

91 《魯詩世學》，卷15。

92 《魯詩世學》，卷32。

93 《魯詩世學》，卷15。

刻本《詩傳》與《詩說》，不與鈔本《詩傳》同，反同於《魯詩世學》，則其受《世學》之影響甚顯。此外，篇名亦多不同，如：

詩篇＼板本	鈔本詩傳	魯詩世學	刻本詩傳	詩說
衛	桑中	桑中	采唐	采唐
王	揚之水	暘之水	暘之水	暘之水
唐	有杕之杜	杕杜	杕杜	杕杜
鄶	揚之水	暘之水	暘之水	暘之水
鄭	狡童	狡童	麥秀	麥秀
小疋傳	鬱柳	菀柳	菀柳	菀柳

由上表，可知刻本《詩傳》與《詩說》，篇名多受《世學》之影響。其中〈衛〉〈桑中〉改作〈采唐〉，〈鄭〉〈狡童〉改作〈麥秀〉，不與鈔本《詩傳》及《世學》同，實竄改者以意為之。按鈔本《詩傳》〈鄭〉〈狡童〉下〈正說〉云：

> 因《史記》載〈麥秀〉之歌，妄謂箕子以狡童目紂，遂意此篇，亦為刺君之語，然〈麥秀〉之文，乃即此篇之首章耳。

意即《史記》〈麥秀〉之歌，為〈狡童〉之首章，並不名此篇為〈麥秀〉。知作〈麥秀〉者，為後人以意改之也。

綜觀上列各表及說明，《詩傳》顯經後人竄改，則何者為《詩傳》原本？或以為刻本《詩傳》之篇目次序，皆與《世學》相同，應以刻本為《詩傳》原本。是又不然。按鈔本《詩傳》〈魯頌〉（「頌」字原作空圍）下〈考補〉云：

> 按申公謂〈魯頌〉五篇，非孔子所錄，蓋〈狼跋〉、〈九罭〉、

〈伐柯〉、〈破斧〉，皆魯人之詩，夫子取以附〈豳風〉矣。此〈閟宮〉、〈泮宮〉、〈楚丘〉、〈駉〉、〈有駜〉五篇，其子貢取以附〈商頌〉之後歟！

可知《詩傳》原有〈豳風〉及〈魯頌〉。觀《世學》雖欲合二者為一，而卒未合者，蓋有《詩傳》在也。否則，若《詩傳》已將二者合而為一，《世學》轉再析為二，實乖情理。據此，鈔本《詩傳》當為《詩傳》之原本。

鈔本既為《詩傳》原本，則下文之論辨，亦以鈔本為根據。

三　《子貢詩傳》辨偽

《詩傳》於明嘉靖中出現後，當時士人皆信以為真，明末雖有何楷、朱朝瑛等人發其偽[94]，然並不為時人所重。入清後錢謙益、毛奇齡、姚際恆、朱彝尊等各有論辨。其中以毛奇齡《詩傳詩說駁議》五卷，最為博洽。然各家所論，皆忽略其版本之異同，以後人竄改者，罪及原作偽者．本文爰就前儒所論，附以一已所見，就其偽跡分項論之。

（一）就其授受源流辨之

子貢為孔門高弟，孔子嘗以「賜也，始可與言《詩》」[95]許之。然不聞子貢有說《詩》之作。其於《詩經》之授受，首見於豐坊《魯詩世學》。黃佐〈序〉云：

94 〔明〕何楷：《詩經世本古義》，卷首，頁16；〔明〕朱朝瑛：《讀詩略記》，卷首，頁9。

95 《論語》，〈學而第一〉。

> 子貢，聖門高第，告往知來，輔相大臣，非特輦轂者，申公生于秦老于漢，傳子貢之學，居毛、鄭之先，蓋燕趙計偕之士也。

直以子貢為傳《詩》之正統，然依《魯詩》之授受，並不及子貢。《魯詩》傳授源流如下：

孔子→ 子夏→ 曾申→ 李克→ 孟仲子→ 根牟子→ 孫卿→ 浮丘伯→ 申培。

可見申公之學自有授受。果申公曾受學於子貢，以今文家之重家法，兩漢《魯詩》傳授又甚盛，不容不及子貢。今非但《魯詩》家不之及，數千年來說《詩》者亦皆不言子貢有《詩傳》，歷代史志亦不錄其書。其為依託，自不待言。

(二) 就〈大〉、〈小疋〉及其〈續〉、〈傳〉之分類辨之

《詩傳》分〈小雅〉為〈小疋〉、〈小疋續〉、〈小疋傳〉；分〈大雅〉為〈大疋〉、〈大疋續〉、〈大疋傳〉。按《說文解字》「疋」下云：「古文㠯為《詩》〈大雅〉字。」[96]此遂以「疋」代「雅」。其〈大〉、〈小疋〉及〈續〉、〈傳〉之分類，實以時代前後及政治盛衰為據。如〈小疋〉及其〈續〉、〈傳〉云：

> 〈小疋〉：周公制作禮樂，用之燕享，有〈小疋〉焉。
> 〈小疋續〉：宣王中興而〈小疋〉續焉。

〈小疋傳〉則有昭、厲、幽王之詩。〈大疋〉及其〈續〉、〈傳〉亦然，如：

96 《說文解字》，二篇下，頁31。

〈大疋〉：周公制□□□□□會朝□□□□，有〈大疋〉焉。

〈大疋續〉：宣王中興，〈大疋〉續焉。

〈大疋傳〉因闕文，無從考見。其以〈大〉、〈小疋〉為周公時之樂，〈大〉、〈小疋續〉為宣王時之樂，〈大〉、〈小疋傳〉為幽、厲之樂。以政治之隆替為分類之標準，實根源於毛、鄭正變之說。《毛詩》〈大序〉云：

至於王道衰，禮義廢，政教失，國異政，家殊俗，而變風、變雅作矣。

鄭玄〈詩譜〉又加以引申，云：

（文、武）時，《詩》，〈風〉有〈周南〉、〈召南〉；〈雅〉有〈鹿鳴〉、〈文王〉之屬。及成王、周公致太平，制禮作樂，而有頌聲興焉，盛之至也。……故皆錄之，謂之《詩》之正經。……故孔子錄懿王、夷王時《詩》，迄於陳靈公淫亂之事，謂之變〈風〉、變〈雅〉。[97]

毛、鄭皆以周初盛世為正詩，周末亂世為變詩。《詩傳》於〈大〉、〈小疋〉之分類，顯受其影響。至於以宣王時詩為〈大〉、〈小疋續〉，乃從鄭樵之說，樵云：

正變之言，不出于夫子而出於〈序〉，未可信也。〈小雅〉〈節

97 《毛詩注疏》，卷首附〈詩譜序〉，頁3。

> 南山〉之刺，〈大雅〉〈民勞〉之刺，謂之變雅可也；〈鴻雁〉、〈庭燎〉之美宣王，〈崧高〉、〈烝民〉之美宣王，亦可謂之變乎？[98]

《詩傳》遂於正變之中，立一「續」，以折衷前人之說。其既受毛〈序〉、鄭玄、鄭樵之影響，自非子貢之作。

（三）就其篇名辨之

《詩經》之篇名，多取詩中字句為之，本無實質之意義。然一詩之名，既定於先秦，後世詩家又多遵用之，絕少更改，則《詩傳》篇名獨與眾不同者，顯係作偽者偶見後儒異說，或故炫其異而改易也。茲舉例如下：

1 〈周南〉〈麟止〉：《詩》本作〈麟之趾〉。惟陸德明《經典釋文》云：「序本直云〈麟止〉，無『之』字，『止』本亦作『趾』，兩通之」。作偽者據此，遂改作〈麟止〉。[99]

2 〈衛〉〈菉衣〉：《詩》本作〈綠衣〉。《左傳》成九年：「賦〈綠衣〉之卒章」，是其證。所以改作〈菉衣〉者，毛奇齡云：「考綠字原作菉字者，如〈小雅〉〈采綠〉，《楚辭》註引之作〈采菉〉，〈淇澳〉「綠竹」，〈大學〉引之作「菉竹」是也。但菉、竹二草名，綠、菉亦二草名，故可通見，未有綠是色，而亦作菉者，豈菉衣草衣與？作偽者無學，不知綠、菉通見之故，以為菉、綠可通，遂雜下而不知怪，悲夫！」[100]

3 〈鄭〉〈羔求〉：《詩》本作〈羔裘〉。《左傳》昭十六年：「子產

---

98 《詩辨妄》，〈雅非有正變辯〉。

99 《經典釋文》，〈毛詩音義上〉，頁5。

100 《詩傳詩說駁議》，卷2，頁5。

賦〈鄭〉之〈羔裘〉」，是其證。作〈羔求〉，非古也。

4 〈小疋〉〈菁莪〉：《詩》本作〈菁菁者莪〉。按：《左傳》文三年：「晉侯饗公，賦〈菁菁者莪〉。」又昭十七年：「穆公賦〈菁菁者莪〉。」是其證。《詩傳》作〈菁莪〉，非古也。[101]

5 〈小疋〉〈煌華〉：《詩》本作〈皇皇者華〉。《儀禮》〈鄉飲酒禮〉：「工歌〈鹿鳴〉、〈四牡〉、〈皇皇者華〉。」又《左傳》襄四年：「〈皇皇者華〉，君教使臣曰：『必諮于周。』」是其證。惟宋陸佃云：「〈折楊〉逸詩；〈皇荂〉即《詩》所謂〈皇皇者華〉是也。」作偽者遂改作〈煌華〉。[102]

6 〈小疋傳〉〈雨無其極〉：《詩》本作〈雨無正〉。惟劉元城云：「嘗讀《韓詩》有〈雨無極〉篇，序云：『〈雨無極〉：正大夫刺幽王也。』其詩文篇首有『雨無其極，傷我稼穡』八字。」作偽者據此，遂改為〈雨無其極〉。[103]

另〈王〉〈唐棣〉，本在〈鄭風〉，作〈東門之墠〉；〈中谷〉本作〈中谷有蓷〉；〈有兔〉本作〈兔爰〉。〈齊〉〈盧〉，本作〈盧令〉；〈營〉，本作〈還〉；〈雞鳴〉，本作〈女曰雞鳴〉。〈唐〉〈茮聊〉，本作〈椒聊〉；〈羔求〉，本作〈羔裘〉；〈彼汾〉，本作〈汾沮如〉。〈鄶〉〈羔求〉，本作〈羔裘〉；〈大路〉，本在〈鄭風〉，作〈遵大路〉。〈鄭〉〈大叔〉，本作〈大叔于田〉；〈扶胥〉，本作〈山有扶蘇〉。〈豳〉〈豳風〉，本作〈七月〉。〈小疋〉〈南山〉，本作〈信南山〉。〈小疋傳〉〈圻招〉，本作〈圻父〉；〈鳴鳩〉，本作〈小宛〉；〈懿戒〉，本作〈抑〉；〈節〉，本作〈節南山〉。〈大疋〉〈大武〉，本作〈下武〉等。不下數十篇，皆因作偽者故示異同而刪改，非《詩》之舊也。

---

101 參閱《詩傳詩說駁議》，卷4，頁3。

102 參閱《詩傳詩說駁議》，卷4，頁6。

103 參閱《詩傳詩說駁議》，卷4，頁16。

又刻本《詩傳》〈衛〉〈桑中〉作〈采唐〉,〈王〉、〈鄶〉〈揚之水〉作〈碭之水〉,〈鄭〉〈狡童〉作〈麥秀〉,則為竄改者據《魯詩世學》而改。說已見前。

(四)就其篇目次序辨之

《詩》〈風〉、〈雅〉、〈頌〉中各篇之次序,自漢以來,即有人言其前後錯亂[104],至宋議其失次者更多,如蘇轍、李樗、朱子、王柏等皆是。[105]《詩》篇雖有失次,並非篇篇皆可易其序,作偽者遽爾改之,遂與古不合。又有受後儒之影響,而易其序者。茲合併舉例如次:

1 〈周南〉、〈召南〉之篇次與古不合

《儀禮》〈鄉飲酒禮〉:「乃合樂〈周南〉〈關雎〉、〈葛覃〉、〈卷耳〉,〈召南〉〈鵲巢〉、〈采蘩〉、〈采蘋〉。」[106]又〈燕禮〉:「遂歌鄉樂,〈周南〉〈關雎〉、〈葛覃〉、〈卷耳〉,〈召南〉〈鵲巢〉、〈采蘋〉。」[107]可見〈周南〉、〈召南〉首三篇之次序,自先秦已如此。作偽者不知,將〈周南〉〈卷耳〉列於〈麟止〉之後,序在第六;〈召南〉〈采蘋〉列於〈羔羊〉之後,序在第五。皆非篇第之舊。

---

104 鄭玄〈詩譜序〉孔《疏》云:「〈鄭風〉〈清人〉是文公詩,處昭公之上;〈衛風〉〈伯兮〉是宣公詩,在惠公之下者。鄭答張逸云:『詩本無文字,後人不能盡得其次第,錄者直錄,存義而已。然則孔子之後,始顛倒雜亂耳。』」

105 蘇轍《潁濱詩集傳》云〈載馳〉、〈兔爰〉、〈清人〉三篇失次;李樗云〈賚〉、〈桓〉失次(見《毛詩李黃集解》,卷40,頁1);朱熹云:「〈小雅〉篇次,尤多不可曉。」(見《朱子大全集》,卷45,〈答廖子晦〉,頁22)。

106 《儀禮注疏》,卷9,頁12。

107 《儀禮注疏》,卷15,頁7。

2 〈邶〉、〈鄘〉、〈衛〉之篇次受宋儒影響

疑〈邶〉、〈鄘〉、〈衛〉詩失次，始于《詩譜》孔《疏》[108]，至宋人論之者更多。歐陽修曾去〈邶〉、〈鄘〉、〈衛〉詩之界限，依時代先後，重排此三十九篇之序。[109]潘時舉曾與朱子論〈日月〉、〈終風〉、〈燕燕〉三篇之次序。《朱子語類》云：

> （時舉）又說：「〈日月〉、〈終風〉二篇，據《集注》云：『當在〈燕燕〉之前。』以某觀之，〈終風〉當在先，〈日月〉次之，〈燕燕〉是莊公死後之詩，當居最後。蓋詳〈終風〉之辭，莊公於莊姜猶有往來之時，但不暴則狎，莊姜不能堪耳。至〈日月〉則見莊公絕不顧莊姜，而莊姜則不免微怨矣。以此觀之，〈終風〉當在先，〈日月〉當次。」（朱子）曰：「恐是如此。」[110]

知潘時舉以〈終風〉、〈日月〉、〈燕燕〉三詩相次。王柏亦云：

> 衛莊姜之詩凡五：其一，國人於莊姜之始至而美之，〈碩人〉是也。其（餘）四詩則莊姜自述也，〈綠衣〉當在前，蓋莊公初惑於嬖妾，夫人憂之，思古人以自比，處之善矣！〈終風〉則悼其待己之不禮，而莊公橫暴之態，儼然可見。〈日月〉則□全不顧矣，夫人亦未免無少怨也。〈燕燕〉作於莊公卒後，

108　《毛詩注疏》，卷2，頁315。

109　《詩本義譜》，頁3，附《詩本義》後。

110　《朱子語類》，卷81，〈詩二〉，頁3400。

忠厚之德藹然。[111]

知王柏以〈碩人〉、〈綠衣〉、〈終風〉、〈日月〉、〈燕燕〉五詩相次。今《詩傳》重編〈邶〉、〈鄘〉、〈衛〉三詩之次第，以〈邶風〉〈菉衣〉、〈終風〉、〈日月〉、〈燕燕〉、〈擊鼓〉、〈靚臺〉、〈二子乘舟〉、〈泉水〉、〈旄丘〉、〈式微〉等十篇入〈衛風〉，以〈鄘風〉〈柏舟〉、〈干旄〉、〈君子偕老〉、〈雜之賁賁〉、〈桑中〉、〈載馳〉、〈蝃蝀〉等七篇入〈衛風〉，以〈衛風〉〈伯兮〉、〈考盤〉、〈木瓜〉、〈芄蘭〉、〈有狐〉、〈氓〉等六篇入〈鄘〉，顯受宋儒之影響。至以〈碩人〉、〈菉衣〉、〈終風〉、〈日月〉、〈燕燕〉五篇相次，則襲自潘時舉、王柏矣。

3 〈鄭〉詩入〈齊〉、〈唐〉、〈鄶〉與古不合

《詩傳》〈齊風〉〈風雨〉、〈唐風〉〈野有蔓草〉、〈鄶風〉〈大路〉本皆為〈鄭〉詩。《左傳》昭十六年云：

> 鄭六卿餞宣子於郊，宣子曰：「二三君子請皆賦，起亦以知鄭志。」子齹賦〈野有蔓草〉，宣子曰：「孺子善哉！吾有望矣。」子產賦〈鄭〉之〈羔裘〉，宣子曰：「起不堪也。」子大叔賦〈褰裳〉，宣子曰：起在此，敢勤子至於他人乎？」子大叔拜。宣子曰：「善哉！子之言是。不有是事，其能終乎？」子游賦〈風雨〉，子旗賦〈有女同車〉，子柳賦〈蘀兮〉，宣子喜曰：「鄭其庶乎？二三君子以君命貺起，賦不出鄭志，皆昵燕好也。二三君子數世之主也，可以無懼矣。」

111 〔宋〕王柏：《詩疑》，卷1，頁1。

韓宣子既云「賦不出鄭志」，可知〈野有蔓草〉、〈羔裘〉、〈褰裳〉、〈風雨〉、〈有女同車〉、〈蘀兮〉等六篇同為〈鄭〉詩。《詩傳》乃以〈風雨〉入〈齊〉，〈野有蔓草〉入〈唐〉，其變亂舊章，至為明顯。又宋玉〈登徒子好色賦〉云：

> 鄭、衛、溱、洧之間，群女出桑，臣觀其麗者。因稱詩曰：「遵大路兮攬子袪，贈以芳華辭甚妙。」[112]

則「遵大路〉固亦鄭詩，作偽者以之入〈鄶〉，並改作〈大路〉，妄矣。[113]

4 〈小疋〉之篇次與古不合

〈小疋〉之篇次，有如〈周南〉之〈關雎〉、〈葛覃〉、〈卷耳〉；〈召南〉之〈鵲巢〉、〈采蘩〉、〈采蘋〉，有不可任意更動者。《儀禮》〈鄉飲酒禮〉云：「工歌〈鹿鳴〉、〈四牡〉、〈皇皇者華〉。」[114]〈燕禮〉亦然。[115]又《禮記》〈學記〉：「大學始教宵雅肄三。」注云：「習〈小雅〉之三，謂〈鹿鳴〉、〈四牡〉、〈皇皇者華〉也。」則此三詩皆有一定之次序，不可更易。作偽者序〈鹿鳴〉於〈小疋〉第二，改〈皇皇者華〉為〈煌華〉，序於十四，〈四牡〉序於十五[116]，盡失其次。

又《儀禮》〈鄉飲酒禮〉及〈燕禮〉皆云：「歌〈魚麗〉，笙〈由庚〉，歌〈南有嘉魚〉，笙〈崇丘〉，歌〈南山有臺〉，笙〈由儀〉。」[117]

---

112 《文選》，卷19，頁11。

113 〔清〕毛奇齡：《詩傳詩說駁議》，卷3，頁7。

114 《儀禮注疏》，卷9，頁9。

115 《儀禮注疏》，卷15，頁5。

116 此從鈔本《詩傳》，刻本則序於十六。

117 《儀禮注疏》，卷9，〈鄉飲酒禮〉，頁14；又《儀禮注疏》，卷15，〈燕禮〉，頁7。

則此六篇次序亦相次。作偽者不知，竟於〈南山有臺〉後斷之以〈瓠葉〉，何其妄也！[118]

5 〈大疋〉之篇次與古不同

〈大疋〉之篇次，亦有不可任意更易者。《左傳》襄四年：「工歌〈文王〉之三，又不拜。」杜預云：「〈大雅〉之首，〈文王〉、〈大明〉、〈緜〉。」又云：「〈文王〉之三，皆稱文王之德。」知〈文王〉、〈大明〉、〈緜〉三篇，皆歌頌文王之德，篇次相序，不可更易。《詩傳》〈大疋〉首篇為〈生民〉，次為〈公劉〉（原闕劉字），第三篇以下闕文。[119]雖有闕文，然不以〈文王〉、〈大明〉、〈緜〉三篇相次，亦已明矣。

（五）就其抄襲他書辨之

1 襲自〈大學〉、〈中庸〉者

（1）〈周南〉〈關雎〉

> 文王之妃姒氏，思得淑女以共內職，賦〈關雎〉……心正而身脩，身脩而家齊，家齊而國治，國治而天下平。

按：「心正而身脩」以下四句，襲自〈大學〉。

（2）〈周南〉〈桃夭〉

> 周人美后妃之德，終始婦道，賦〈桃夭〉。子曰：「宜其家人，

118 本小節參《詩傳詩說駁議》，卷4，頁415。
119 此從鈔本《詩傳》，刻本不闕。

而後可以教國人，見君子之脩其身矣。」

按：孔子無是語。「宜其家人」以下三句，襲自〈大學〉。

（3）〈衞〉〈淇澳〉

衛武公好學明德，國人美之。

案：毛奇齡云：「按詩文〈淇澳〉，惟〈大學〉作『淇澳』，此故改『澳』字，且加『明德』字，則竟以〈大學〉釋《詩》矣。《禮記》原以〈淇澳〉詩證誠意，在『故君子必誠其意』後，未嘗證明德也。證明德之說，創自朱子，以此節為『明德之止于至善』，此是臆解耳。而作偽者公然入此二字，淺學不審量，以為本之〈大學〉，而不知此〈大學〉係朱子之〈大學〉，非《禮記》之〈大學〉也。」[120]

（4）〈小疋〉〈魚藻〉下云

子曰：「凡為天下國家有九經，修身則道立，尊賢則不惑，親親則諸父昆弟不怨，敬大臣則不眩，體群臣則士之報禮重，子庶民則百姓勸，來百工則財用足，柔遠人則四方歸之，懷諸侯則天下畏之，斯周道之所以正乎？

按：此段襲自〈中庸〉，「九經」下刪去「曰：修身也，尊賢也，親親也，敬大臣也，體群臣也，子庶民也，來百工也，柔遠人也，懷諸侯也。」等九句。

120 《詩傳詩說駁議》，卷2，頁4。

2 襲自《孔叢子》者

(1)〈邶〉〈柏舟〉

> 子曰：「仁矣，吾於〈柏舟〉見匹夫不可奪志也。」

按：毛奇齡云：「《孔叢子》〈記義篇〉有曰：『于〈柏舟〉見匹婦執志之不易也。』詳其語似言〈鄘〉〈柏舟〉，非此〈柏舟〉也。即此〈柏舟〉亦必因《列女傳》云：『〈柏舟〉，衛夫人守志之詩』，是婦人詩。此誤以『婦』字作『夫』字，……以雌為雄，所謂撲朔迷離，不辨雄雌也，則何可已。」[121]

(2)〈鄘〉〈考槃〉

> 鄘人美其君子，不仕亂邦，賦〈考槃〉。子曰：「見遯世而無悶矣。」

按：孔子無是語。「見遯世而無悶矣」，襲自《孔叢子》卷上〈記義篇〉。

(3)〈鄘〉〈木瓜〉

> 朋友相贈，賦〈木瓜〉。子曰：「見苞苴之禮行焉。」

按：孔子無是語。「見苞苴之禮行焉」，襲自《孔叢子》卷上〈記義篇〉。原文「苞苴」作「包且」。

121 《詩傳詩說駁議》，卷2，頁2。

(4)〈鄭〉〈緇衣〉

鄭武公養賢而賦〈緇衣〉。子曰：「於〈緇衣〉見好賢之至也。」

按：孔子無是語。「於〈緇衣〉見好賢之至也」，襲自《孔叢子》〈記義篇〉。

3 襲自〈詩小序〉者

《詩傳》「襲〈詩序〉為朱之所不辨者」[122]，亦即朱子同於〈詩序〉者。其要者有下列十餘則：

(1)〈衛〉〈柏舟〉

衛世子餘未立而卒，共姜誓以守志，賦〈柏舟〉。

按：〈小序〉云：「共姜自誓也。衛世子共伯蚤死，其妻守義，父母欲奪而嫁之，誓而弗許，故作是詩以絕之。」《詩傳》約取〈小序〉之意為之。

(2)〈衛〉〈親臺〉

衛宣公納伋之妻，國人惡之，賦〈親臺〉。

按：〈小序〉云：「刺衛宣公也，納伋之妻，作新臺于河上而要之，國人惡之而作是詩也。」亦約取〈小序〉之義為之。

122 《古今偽書考》，〈詩傳〉、〈詩說〉條。

(3)〈衛〉〈旄丘〉

狄侵黎，黎侯出奔衛。衛穆公不禮焉，黎人怨之，賦〈旄丘〉。

按：〈小序〉云：「責衛伯也，狄人迫逐黎侯，寓於衛，衛不能修方伯連率之職，黎之臣子以責於衛也。」亦約取〈小序〉之義為之。

(4)〈衛〉〈式微〉

黎大夫勸其君以歸國，賦〈式微〉。

按：〈小序〉云：「黎侯寓于衛，其臣勸以歸也。」

(5)〈齊〉〈著〉

齊俗昏禮不親迎，君子譏之，賦〈著〉。

按：〈小序〉云：「刺時也，時不親迎。」

(6)〈小疋〉〈棠棣〉

燕兄弟也。

按：〈小序〉云：「燕兄弟之樂歌。」

(7)〈小疋〉〈天保〉

大臣所以報王也。

按：〈小序〉云：「下報上也。君能下下以成其政，臣能歸美以報其上焉。」《詩傳》省其詞為之。

(8)〈小疋〉〈煌華〉

遣使臣也。

按:《詩》本作〈皇皇者華〉。〈小序〉云:「君遣使臣也，送之以禮樂，言遠而有光華也。」

(9)〈小疋〉〈杕杜〉

勞戍也。

按:〈小序〉云:「勞還役也。」

(10)〈小疋續〉〈六月〉

北伐也。

按:〈小序〉云:「宣王北伐也。」《詩傳》以〈小疋續〉為宣王中興之作。大題〈小疋續〉後有「宣王中興而〈小疋〉續焉」，故各篇皆不再繫「宣王」二字。

(11)〈小疋續〉〈采芑〉

南征也。

按:〈小序〉云:「宣王南征也。」

（12）〈小疋續〉〈庭燎〉

勤政也。

按：〈小序〉云：「美宣王也，因以箴之。」鄭《箋》：「美者，美其能自勤以政事。」

（13）〈小疋續〉〈無羊〉

考牧也。

按：〈小序〉云：「宣王考牧也。」

（14）〈小疋傳〉〈巧言〉

大夫傷於讒，賦〈巧言〉。

按〈小序〉云：「刺幽王也，大夫傷於讒，故作是詩也。」

（15）〈商頌〉〈那〉

祀成湯也。

按：〈小序〉云：「祀成湯也。」

（16）〈商頌〉〈長發〉

大禘也。

按：〈小序〉云：「大禘也。」

(17)〈商頌〉〈殷武〉

祀高宗也。

按：〈小序〉云：「祀高宗也。」

另〈周南〉〈卷耳〉，〈衛〉〈淇澳〉、〈燕燕〉、〈擊鼓〉、〈二子乘舟〉、〈河廣〉，〈王〉〈暘之水〉，〈魏〉〈采苓〉，〈秦〉〈終南〉、〈駟驖〉，〈小疋〉〈四牡〉、〈鴻雁〉、〈斯干〉，〈小疋續〉〈出車〉，〈小疋傳〉〈鬱柳〉、〈小旻〉等，或師〈小序〉之意而不襲其詞，或依其意而略加更改。然皆可見其抄襲之跡也。

4 襲自朱子《詩集傳》者

《詩傳》襲朱子《詩集傳》處頗多，或明襲其文，或暗襲其意而改其辭。文繁不煩具舉，茲但就其最顯著者述之。

(1)〈周南〉〈葛覃〉

太姒將歸寧，而賦〈葛覃〉。子曰：「貴而能勤，富而能儉，疏而能孝，可以觀化矣。」

案：「子曰」以下四句，本朱《傳》「然於此可以見其已貴而能勤，已富而能儉，已長而敬不弛於師傅，已嫁而孝不衰於父母」，而略易其辭。

(2)〈召南〉〈采蘩〉

諸侯之夫人勤于親蠶，國人美之，賦〈采蘩〉。

案：朱《傳》云：「或曰，蘩可以生蠶，蓋古者后夫人有親蠶之禮。」

(3)〈召南〉〈江有汜〉

諸侯之夫人終容其媵也，賦〈江有汜〉。

案：朱《傳》云：「是時汜水之旁，媵有待年於國，而嫡不與之偕行者，其後嫡被后妃夫人之化，乃能自悔而迎之。」《詩傳》約取其義為之。

(4)〈邶〉〈谷風〉

□□良婦棄於夫，賦〈谷風〉。

案：朱《傳》云：「婦人為夫所棄，故作此詩，以敘其悲怨之情。」

(5)〈王〉〈君子于役〉

戍者不歸，室家思怨，賦〈君子于役〉。

案：朱《傳》云：「大夫久役於外，其室家思而賦之曰：『君子行役，不知其還反之期，且今亦何所至哉！』」

(6)〈王〉〈黃鳥〉

民適異國，□□□□，賦〈黃鳥〉。

案：朱《傳》云：「民適異國，不得其所。」《詩傳》闕文，疑「不得其所」四字。

(7)〈魏〉〈園有桃〉

魏人憂其國□□□□，賦〈園有桃〉。

案：朱《傳》云：「魏人憂國小而無政，故作是詩。」闕文疑「小而無政」四字。

(8)〈鄭〉〈女曰雞鳴〉

夫婦相戒以勤生樂善□□美之，賦〈女曰雞鳴〉。

案：朱《傳》云：「此詩人述賢夫婦相警戒之詞。」

(9)〈豳〉〈東山〉

周公帥師征殷，三年克之，□□□士，賦〈東山〉。

案：此劇明藍格鈔本。舊鈔本作「王感鴟鴞，逆周公，公帥師征殷，一年克□□□□士，賦〈東山〉。」抄者注云：「豐氏一本無『王感鴟鴞逆』五字，『一年』作『三年』。」抄者所見之另一本，與藍格鈔本同。朱《傳》云：「成王既得鴟鴞之詩，又感雷風之變，始悟而迎周公。于是周公東征已三年矣。既歸，因作詩以勞士。」此其所襲也。

(10)〈小疋〉〈頍弁〉

燕親戚也。

案：朱《傳》云：「此燕兄弟親戚之詩。」

(11)〈小疋〉〈蓼蕭〉、〈常常者華〉、〈湛露〉、〈彤弓〉

皆天子之燕諸侯也。

案：朱《傳》云：〈蓼蕭〉：「諸侯朝于天子，天子與之燕以示慈惠，故歌此詩。」〈常常者華〉：「此天子美諸侯之辭。」〈湛露〉：「此亦天子燕諸侯也。」〈彤弓〉：「此天子燕有功諸侯也。」

此外，〈周南〉〈漢廣〉，〈召南〉〈采蘋〉，〈鄘〉〈木瓜〉，〈王〉〈葛藟〉、〈采葛〉，〈齊〉〈營〉、〈載驅〉，〈魏〉〈鴇羽〉，〈唐〉〈彼汾〉，〈鄭〉〈赤于田〉、〈大赤〉、〈清人〉，〈秦〉〈黃鳥〉，〈小疋〉〈魚麗〉、〈嘉魚〉、〈瓠葉〉、〈南山〉、〈楚茨〉、〈甫田〉、〈大田〉等，亦皆受朱《傳》之影響。

四　《子貢詩傳》之作者

(一)《詩傳》原本之作者

據前所辨，《詩傳》既為偽書，又有原本及改本之分。則其原本之作者為何人？清以來之學者，皆主豐坊所為。其證據有下列數點：

1 子貢傳《詩》之事，歷代學者皆不知，獨坊知之最詳。

2 嘉靖中《詩傳》出於坊家，前此無人知之。

3 《詩傳》以古篆文為之，而坊又精通各體書法。

4 分〈大〉、〈小雅〉為〈大〉、〈小疋〉及〈續〉、〈傳〉，與坊之《魯詩世學》合，說《詩》之家，無此分法。

5 《魯詩世學》中有〈正音〉、〈續音〉、〈補音〉、〈正說〉、〈考補〉、〈續說〉，為坊假託先人及門生之作。《詩傳》一如《世學》，亦有〈正音〉等，兩書應為同出一手。

6 當時坊作偽最多，且多經部書。

有此六點證據，《詩傳》必為坊所偽無疑。

（二）《詩傳》改本之作者

坊既偽作《詩傳》，又作《世學》羽翼之，實無需再竄改《詩傳》以自露其偽。則竄改者為何人？按《魯詩世學》作於嘉靖四十一、二年（1562-1563）間，改本《詩傳》既受其影響，又初刻於隆慶二年（1568），則其作成年歲，必在嘉靖末至隆慶初之四、五年間。竄改者蓋與坊過從甚密者，始能於數年內兼得坊之《詩傳》與《世學》。其人殆為王文祿。其證有五：

1 文祿為海鹽人，博學多聞，年歲略小於坊，喜異書，得必手校。

2 文祿於嘉靖四十一（1562）及四十三年（1564）曾兩見坊於海上，坊出示其所偽作之《魯詩》。

3 改本《詩傳》改〈鄭〉〈狡童〉為〈麥秀〉。按文祿《竹下寤言》云：「〈麥秀〉之歌，〈黍離〉之詩，殷周一律也，湯武應天，順人之舉，亦必至此，篡爭謀奪者枉費心哉！」[123]《竹下寤言》作於嘉靖十一年（1532），所云之〈麥秀〉，或指《史記》〈麥秀〉歌。後文祿見坊《世學》以〈麥秀〉歌為〈狡童〉之首章，遂將篇名改為〈麥秀〉。此雖無確據，然並非不可能。

4 《丘陵學山》雖為王完所輯，實文祿董其成，且多收文祿之著作。文祿於《大學古本》、《大學石經古本》、《中庸古本》，並有〈前引〉、〈後申〉，獨《詩傳》、《詩說》闕如，顯有蹊蹺。

5 姚士粦《見只編》云：「王沂陽（文祿）先生家多藏書，所萃

123 《竹下寤言》，卷1，頁6。

《丘陵學山》，有《子貢詩傳》(「貢」原誤作「夏」)、《申培詩說》，云皆出其手也。」[124]又胡震亨云：「《學山》首帙申培、子貢兩書，其所借撰。」[125]姚、胡二氏，稍後於文祿，文祿卒時，士粦已二十五歲。兩人之言，雖相互轉述，然必非無根之言也。

根據上述五事，疑文祿既得《世學》，乃將《詩傳》重編，然後刻入《丘陵學山》中，姚、胡二人遂誤以竄改為著作也。

第四節　附《申培詩說》考辨

一　申培與《魯詩》之傳授

申公，名培，魯人。少與楚元王交俱事荀卿門人浮丘伯。漢高祖過魯時，曾從其師謁見高祖魯南宮。呂后時，浮丘伯在長安，申公又往受學，與交子郢俱卒業。[126]文帝時，聞申公為《詩》最精，立為博士。[127]後歸魯，以《詩》授徒，弟子自遠方至者百餘人。[128]武帝時，召為太中大夫，後以病免。卒年八十餘。[129]申公卒後，弟子為博士者十餘人，《魯詩》遂顯。《史記》〈儒林傳〉云：

> 弟子為博士者十餘人，孔安國至臨海太守，周霸至膠西內史，夏寬至城陽內史，碭魯賜至東海太守，蘭陵繆生至長沙內史，徐偃為膠西中尉，鄒人闕門慶忌為膠東內史。其治官民，皆有

124　《見只編》上，頁32。
125　《海鹽縣圖經》，卷14，〈人物篇〉〈儒林〉，頁8。
126　《漢書》，卷88，〈儒林傳〉〈申公傳〉，頁15。
127　《漢書》，卷36，〈楚元王傳〉，頁2。
128　《史記》，卷120，〈儒林列傳〉〈申公傳〉，頁5。「百餘人」，《漢書》作「千餘人」。
129　《漢書》，卷88，〈儒林傳〉〈申公傳〉，頁15。

> 廉節，稱其好學。學官弟子，行雖不備，而至於大夫、郎中、掌故以百數。言《詩》雖殊，多本於申公。[130]

諸弟子又各有授受，《魯詩》遂極盛於兩漢。申公雖門徒甚眾，惟是否著書，史傳之記載不一。《史記》及《漢書》〈儒林傳〉云：

> 申公獨以《詩經》為訓詁以教，無傳，疑者則闕弗傳。[131]

《漢書》〈楚元王傳〉云：

> 申公始為《詩傳》，號為《魯詩》。[132]

兩者所載不同。《漢書》〈藝文志〉有《魯故》二十五卷、《魯說》二十八卷。不註作者。王先謙《漢書補注》以為《魯故》即申公作，《魯說》為弟子所傳。[133]姑不論《魯故》、《魯說》為申公或弟子所作，其為《魯詩》則一。

至東漢末，鄭玄取毛公《詩傳》作《箋》，獨尊《毛詩》，《齊》、《魯》、《韓》三家詩乃衰。《隋書》〈經籍志〉云：

> 《齊詩》魏代已亡，《魯詩》亡於西晉，《韓詩》雖存，無傳之者。[134]

---

130 《史記》，卷120，〈儒林列傳〉〈申公傳〉，頁5。

131 《漢書》，卷88，〈儒林傳〉〈申公傳〉，頁15；《史記》，卷120，〈儒林列傳〉〈申公傳〉，頁5。

132 《漢書》，卷36，〈楚元王傳〉，頁2。

133 《漢書補注》，卷30，〈藝文志〉，頁9。

134 《隋書》〈經籍志〉，卷1，頁14。

《魯詩》亡於西晉，歷來說《詩》之家皆無異辭。

二　《申培詩說》之出現及傳本

《詩說》一卷，題「漢太中大夫魯申培撰」。自清毛奇齡以其與《詩傳》同為一人所作，又同出郭相奎家，後世不加詳考，遂誤以為真。[135]按《詩說》雖與《詩傳》同見於隆慶二年（1568）王完所刻之《丘陵學山》中，然其出現情狀，與《詩傳》不同者有下列數點：

（一）根據明人記載，皆不云有古篆文《詩說》。[136]

（二）《詩說》無豐氏之〈正音〉、〈續音〉、〈正說〉、〈考補〉、〈續考〉等。

（三）《詩說》不見有鈔本，今傳明藍格鈔本及舊鈔本《魯詩世學》，皆不附《詩說》。

（四）《詩說》之版本皆同一來源。《詩傳》則有原本、改本之不同。

有此數點不同，且郭子章、李維楨、張鶴鳴等人刻《詩傳》時，皆不知有《詩說》一書。則《詩說》之流傳，似不如《詩傳》之廣。及萬曆中，王文祿重編《丘陵學山》為《百陵學山》，程榮又將《詩說》刻入《漢魏叢書》，何允中又增廣程氏之書，《詩說》之流傳始廣，然距王完之初刻本，已二十餘年矣。

前〈《詩傳》版本異同考〉一節已云改本《詩傳》與《詩說》皆受《魯詩世學》之影響。《世學》作於嘉靖四十一、二年間（1562或1563）。則《詩說》之出現，應在嘉靖末年至隆慶初年之四、五年間。

135 詳《子貢詩傳》節。

136 後人因毛奇齡及《四庫提要》之說，誤以為《詩說》亦有古篆本。

其內容一如改本《詩傳》，亦分十五〈國風〉，將〈魯頌〉與〈豳風〉合併，改稱〈魯〉，移入〈召南〉後，〈邶〉前。〈小疋〉分〈小疋〉、〈小疋續〉、〈小疋傳〉三類。〈大疋〉亦然。〈頌〉分〈周頌〉為二，合〈商頌〉，仍為三類。篇名與篇目順序，全與改本《詩傳》相同。詩旨則微有差異。另改本及原本《詩傳》，皆有闕文，《詩說》則無。《詩說》缺〈王風〉〈丘中〉、〈我行其埜〉、〈小疋〉〈鶴鳴〉等三篇，疑為傳刻時遺漏。其傳本，今見於：

（一）明王完輯《丘陵學山》本
（二）明王文祿增輯《百陵學山》本
（三）明程榮輯《漢魏叢書》本
（四）明何允中增輯《廣漢魏叢書》本
（五）明胡文煥輯《格致叢書》本
（六）明凌濛初《聖門傳詩嫡冢》本
（七）明毛晉輯《津逮秘書》本
（八）明鍾惺輯《古名儒毛詩解十六種》本
（九）明鍾人傑、張遂辰輯《唐宋叢書》本
（十）明陶珽重編《說郛》本
（十一）清《古今圖書集成》本
（十二）清王謨《增訂漢魏叢書》本
（十三）《叢書集成初編》本（據《百陵學山》本影印）

以上十三種，內容悉同。

三　《申培詩說》辨偽

（一）《詩說》與《魯詩》遺說不合

《魯詩》雖亡，其遺說猶可於當時《魯詩》家之著作見之。今存

《魯詩》遺說較多者為司馬遷之《史記》，劉向之《說苑》、《新序》、《列女傳》，班固之《白虎通義》，蔡邕之《琴操》、《獨斷》等。《詩說》與諸家遺說相較，每不相合。茲舉例言之。

1 司馬遷

(1)《詩說》〈魯〉〈鴟鴞〉云

> 管未及其群弟流言于國，周公避居于魯，殷王祿父遂與十七國作亂，周公憂之，作此詩以貽成王，欲王省悟以備殷，全篇以鳥之育子成巢者，比先王之創業而代為之言也。

《史記》〈魯世家〉云：「武王崩，周公當國，管、蔡、武庚等，果率淮夷而反，周公乃奉成王命興師東伐，……遂誅管叔，殺武庚，放蔡叔，……寧淮夷，東土二年而畢定，周公歸報成王，乃為詩貽王曰〈鴟鴞〉。」[137]司馬遷以此詩為東征後所作，《詩說》則以為周公居魯，殷始亂時作，與《史記》不合。

(2)《詩說》〈小疋〉〈鹿鳴〉云

> 天子燕賓師之歌。

《史記》〈十二諸侯年表〉云：「仁義陵遲，〈鹿鳴〉刺焉。」[138]蔡邕《琴操》亦以為刺詩。[139]《詩說》與《史記》、《琴操》之說不合。

---

137 《史記》，卷33，頁3。
138 《史記》，卷14，頁1。
139 《琴操》，卷上，頁2。

2 劉向

（1）〈鄁〉〈柏舟〉

康未因管未欲害周公，挾武庚以叛，憂之而作。

《列女傳》云：「衛宣夫人者，齊侯之女也。嫁於衛，至城門而衛君死。保母曰：『可以還矣！』女不聽，遂入，持三年之喪畢，弟立謂曰：『衛，小國也。不容二庖，願請同庖。』終不聽。衛君使人愬於齊兄弟，齊兄弟皆欲與君使人告女，女終不聽，乃作詩曰：『我心匪石，不可轉也；我心匪席，不可卷也。』……君子美其貞一，故舉而列之於詩也。」[140]劉向以此詩為衛宣夫人守節自誓之作，與《詩說》不同。

（2）〈衛〉〈燕燕〉

莊姜與娣戴嬀皆為州吁所逐，同出衛野而別，莊姜作詩以贈嬀焉。

《列女傳》：「衛姑定姜者，衛定公之夫人，公子之母也。公子既娶而死，其婦無子，畢三年之喪，定姜歸其婦，自送之於野，恩愛哀思，悲以感慟，立而望之，揮泣垂涕。乃賦詩曰：『燕燕于飛，差池其羽，之子于歸，遠送于野，瞻望弗及，泣涕如雨。』」[141]劉向以為衛定姜送婦之作，婦以無子而歸。與《詩說》不同。

---

140 《列女傳》，卷4，頁2。

141 《列女傳》，卷1，頁5。

(3)〈衛〉〈式微〉

黎侯失國而寓于衛，其臣勸之歸。

《列女傳》以為黎莊夫人及其傅母所作。黎莊夫人為衛侯之女，不見納於黎莊公，傅母賦詩「式微式微，胡不歸！」以勸其歸，夫人亦賦詩，以見其終始婦道。[142]《詩說》與此迥不相同。

(4)〈衛〉〈碩人〉

衛莊公娶于齊曰莊姜，賢而公不禮焉。國人閔之，而作是詩。

《列女傳》以為衛莊公夫人之傅母所作。傅母以夫人「操行衰惰，有冶容之行，淫泆之心」，故賦此詩以砥礪其心。[143]《詩說》與此不同。

(5)〈王〉〈大車〉

周人從軍寓其室家之詩。

《列女傳》以為息君夫人所作。息君及其夫人，為楚所虜，夫人趁楚王出遊，往見息君，誓其不貳之心，乃賦此詩。後雙雙自殺。[144]《詩說》與此不同。

142 《列女傳》，卷4，頁3。
143 《列女傳》，卷1，頁6。
144 《列女傳》，卷4，頁4。

3 班固

(1)〈鄘〉〈相鼠〉

刺三汞之詩。

《白虎通》云:「妻得諫夫者,夫婦一體,榮恥共之。《詩》曰:『相鼠有體,人而無禮;人而無禮,胡不遄死!』此妻諫夫之詩也。」[145] 王先謙云:「所稱夫婦,當時必實有其人,古義相承如是,特久而名不可考耳。」[146]《詩說》與此迥不相同。

(2)〈小疋續〉〈采薇〉

宣王之世,既驅獫狁,勞其還師之詩。

《白虎通》云:「古者師出不踰時者,為怨思也。天道一時生,一時養,人者天之貴物也。踰時則內有怨女,外有曠夫。《詩》曰:『昔我往矣,楊柳依依,今我來思,雨雪霏霏。』」[147]班固以此詩為久役怨思之作。《詩說》與此不同。

4 蔡邕

(1)〈召南〉〈騶虞〉

美虞人之詩

145 《白虎通》,卷上,〈諫諍篇〉,頁49。

146 《詩三家義集疏》,卷3中,頁21。

147 《白虎通》,卷上,〈三軍篇〉,頁43。

《琴操》云：「〈騶虞〉者邵國之女所作也。古者聖王在位，役不踰時，不失嘉會，……及周道衰微，禮義廢弛，強陵弱，眾暴寡，萬民騷動，百姓愁苦，男怨於外，女傷於內，內外無主。內迫情性，外逼禮儀，歎傷所說，而不逢時，於是援琴而歌。」[148]王先謙云：「思昔時所慕悅，傷聖澤之不逢，故召女作此詩以寄慨，與〈關雎〉陳古刺今，同一旨趣。」[149]知此詩為召女陳古刺今之作，《詩說》與此全不相同。

(2)〈小疋〉〈白驅〉

賢者將隱去，王者留之，而作此詩。

《琴操》云：「〈白駒〉者失朋友之所作也。其友賢，居任也，衰亂之世，君無道，不可匡輔，依違成風，諫不見受，國士咏而思之，援琴而長歌。」[150]蔡邕以此詩為傷朋友不見任而作。《詩說》與此不同。

(3)〈頌〉〈昊天有成命〉

康王禘成王于明堂之詩。

《獨斷》云：「〈昊天有成命〉，一章七句，郊祀天地之所歌也。」[151]《詩說》與此不同。

148 《琴操》，卷上，頁213。
149 《詩三家義集疏》，卷2，頁38。
150 《琴操》，卷上，頁2。
151 《獨斷》，卷上，頁16。

(4)〈頌〉〈執競〉

昭王禘康王于明堂之詩。

《獨斷》云：「〈執競〉一章十四句，祀武王之所歌也。」[152]《詩說》與此不同。

《詩說》既與《魯詩》遺說多不相合，其非《魯詩》，亦已明矣。

(二)《詩說》與《漢石經》殘字不合

《漢石經魯詩》殘石拓本，以馬衡《漢石經集存》收錄最完備。《詩說》與其相比對，篇名與篇目次序每每不合。茲舉例如下。

1 篇名不合

(1)〈周南〉〈關雎〉：《漢石經》「雎」作「鴡」。

(2)〈召南〉〈殷其雷〉：《漢石經》「雷」作「靁」。

(3)〈衛〉〈淇奧〉：《漢石經》「奧」作「隩」。《爾雅》邢昺《疏》引此詩正作〈淇奧〉，《魯詩》也。

(4)〈王〉〈黍離〉：《漢石經》「黍」字皆作「柔」[153]，則此〈黍離〉與〈小疋〉之〈黍苗〉，皆應作「柔」。《詩說》仍作「黍」，與之不合。

(5)〈王〉〈有兔〉；《漢石經》作〈兔爰〉，與《毛詩》合。

(6)〈鄭〉〈籜兮〉：《漢石經》作〈蘀兮〉，與《毛詩》合。

(7)〈鄭〉〈褰裳〉：《漢石經》「褰」作「騫」。

---

152 《獨斷》，卷上，頁16。

153 《漢石經集存》第三十七節「毋食我柔」之「柔」；三十九節之「柔」；七十五節「翼柔」之「柔」；八十五節「柔苗」之「柔」等皆是。

（8）〈鄭〉〈晹之水〉：《漢石經》「晹」作「楊」。

（9）〈齊〉〈營〉：《漢石經》作〈旋〉。

（10）〈魏〉〈山有樞〉：《漢石經》「樞」作「蓲」。

（11）〈大疋〉〈鳧鷖〉：《漢石經》「鳧」作「鳨」，从鳥力。

（12）〈頌〉〈良耜〉：《漢石經》「耜」作「枱」，从耒台。

舉此十二例，《詩說》之偽，不辨亦明。另豐坊所建立之《石經》系統《子貢詩傳》、《石經魯詩》、《魯詩世學》，其偽跡亦將無所遁形矣。

2 篇目次序不合

《集存》將所收《魯詩》殘石拼合，分列一三六節（一三七節以後為校記），所拼合之殘石，每含《詩》數篇之文，皆可證《魯詩》之篇目次序。

(1) 殘石二

痡
三章□四
其一桃之夭
公侯好仇其
采采芣苢薄
泳思江
墳

此為〈周南〉〈漢廣〉、〈汝墳〉、〈麟之趾〉三篇之殘字。知《魯詩》此三篇相次，與《毛詩》同。《詩說》〈麟止〉在〈螺斯〉後，〈卷耳〉前；〈汝墳〉、〈漢廣〉在〈膠木〉後，〈芣苢〉前，三篇並不相次。

（2）殘石十一

東

且曀□日有曀寤言不寐

忡其二爰居爰處爰喪其馬

夭母氏劬勞其一凱風自南

我

此為〈邶〉〈日月〉、〈終風〉、〈凱風〉、〈擊鼓〉、〈雄雉〉、〈匏有苦葉〉、〈谷風〉、〈式微〉等八篇之殘字。知此八篇相次，與《毛詩》同。《詩說》〈日月〉、〈終風〉、〈擊鼓〉、〈式微〉等四篇，移入〈衛〉，與《魯詩》不合。

（3）殘石二十三

此百憂

緜葛藟

蕭兮

此為〈王〉〈兔爰〉、〈葛藟〉、〈采葛〉之殘字。知此三篇相次，與《毛詩》同。《詩說》〈兔爰〉作〈有兔〉，在〈王風〉末；〈葛藟〉在〈君子于役〉後，〈子衿〉前；〈采葛〉在〈唐棣〉後，〈無將大車〉前。篇目次序混亂。

（4）殘石七十二

憂矣

福其五小

淑人君
酒實以亨
或燔或炙
既茨
後祿我
南東

此為〈小雅〉〈小明〉、〈鼓鐘〉、〈楚茨〉、〈信南山〉四篇之殘字。知此四篇相次，與《毛詩》同。《詩說》〈小明〉、〈鼓鐘〉，皆入〈小疋傳〉。〈信南山〉作〈南山〉，與〈楚茨〉列於〈邠風〉之後，〈甫田〉之前。篇目次序混亂。

（5）殘石一一六

土
實藉
蕃既順

此為〈大雅〉〈韓奕〉、〈公劉〉篇之殘字。知此兩篇相次，與《毛詩》不同。《詩說》〈韓奕〉入〈大疋續〉；〈公劉〉在〈大疋〉〈生民〉後，〈緜〉前。非《魯詩》之次。

（6）殘石一二四

章章□□．□樂
思樂洋□□采其茆
克明其德既
戎車孔博徒

實□枚枚赫
居岐之

此為〈魯頌〉〈有駜〉、〈泮水〉、〈閟宮〉三篇之殘字。知此三篇相次，與《毛詩》同。《詩說》將〈魯頌〉與〈豳〉合併，改稱〈魯〉，列於〈召南〉之後，〈邶〉前。並改〈泮水〉為〈泮宮〉，後接〈有駜〉、〈閟宮〉。其非《魯詩》，亦已明矣。

另坊之《子貢詩傳》、《石經魯詩》、《魯詩世學》，亦可與此相比對，而判其偽。

（三）《詩說》襲自《魯詩世學》

《詩說》既與《魯詩》遺說、《漢石經》殘字等不合，其為偽書，已昭然若揭。其作偽方法，實襲自《魯詩世學》。《世學》每篇首章後〈正說〉多引「申公曰」、「《子貢傳》」、「朱子曰」、「舊說」、「先儒」、「〈小序〉曰」、「毛氏」、「或曰」等等，《詩說》即據以抄襲成篇。其抄襲方式，有下列數種：

1 襲《世學》所引「申公曰」

《魯詩世學》所引「申公曰」，計二一五條，絕大部分為《詩說》所襲。由於數量太多，無法逐條列舉，故於〈風〉、〈疋〉、〈頌〉各體，僅舉數例以概其餘。

（1）〈周南〉〈桃夭〉

〈正說〉：申公曰：「此周人美后妃終始婦道之詩。」

《詩說》：周人美后妃終始婦道之詩。

另〈麟止〉、〈卷耳〉、〈兔罝〉、〈樛木〉、〈汝墳〉、〈漢廣〉、〈芣苢〉等七篇亦同。

(2)〈召南〉〈鵲巢〉

〈正說〉:申公曰:「諸侯嫁女,其民觀焉,即其事而賦之。」

《詩說》:諸侯嫁女,其民觀焉,即其事而賦之也。

另〈采蘩〉、〈江有氾〉、〈羔羊〉、〈采蘋〉、〈殷其靁〉、〈艸蟲〉〈小星〉、〈騶虞〉、〈摽有梅〉、〈野麇〉、〈行露〉、〈甘棠〉等十二篇亦同。

(3)〈邶〉〈柏舟〉

〈正說〉:申公曰:「康尗因管尗欲害周公,挾武庚以叛亂,憂之而作。」

《詩說》:康尗因管尗欲害周公,挾武庚以叛亂,憂之而作。

另〈雄雉〉、〈匏有苦葉〉、〈北門〉、〈柬兮〉、〈北風〉、〈谷風〉、〈凱風〉、〈靜女〉等八篇亦同。

(4)〈鄘〉〈牆有茨〉

〈正說〉:申公曰:「鄘人刺三監之詩。」

《詩說》:鄘人刺三監之詩。

另〈相鼠〉、〈考槃〉、〈木瓜〉、〈芄蘭〉、〈有狐〉、〈氓〉等六篇亦同。

(5)〈衛〉〈碩人〉

〈正說〉:申公曰:「衛莊公娶于齊,莊姜始至,國人美之而作是詩。」

《詩說》:衛莊公娶于齊曰莊姜,賢而公不禮焉。國人閔之而作是詩。此與〈正說〉不盡相同,似作偽者以意改之。

(6)〈衛〉〈終風〉

〈正說〉：申公曰：「莊姜失位而作。」

《詩說》：莊姜戒州吁，公不悅，姜憂而作是詩。

此與〈正說〉不同，亦作偽者以意改也。按：〈正說〉所引「莊姜失位而作」，實為原本《詩傳》之文。此可證坊作《世學》時，或無《詩說》一書，憑空而為，遂以子貢《傳》為申公說也。另〈柏舟〉、〈淇奧〉、〈干旄〉、〈綠衣〉、〈二子乘舟〉、〈君子偕老〉、〈雜之賁賁〉、〈采唐〉(《世學》作〈桑中〉)、〈泉水〉、〈竹竿〉、〈旄丘〉、〈蝃蝀〉等十二篇，皆與〈正說〉同。

(7)〈王〉〈君子于役〉

〈正說〉：申公曰：「戍申者之妻所作。」

《詩說》：戍申者之妻所作。

另〈黍離〉、〈暘之水〉、〈葛藟〉、〈子衿〉、〈何艸不黃〉、〈嶃嶃之石〉、〈采菉〉、〈大車〉、〈何彼襛矣〉、(唐棣〉、〈采葛〉、〈無將大車〉、〈君子陽陽〉、〈黃鳥〉、〈苕之華〉、〈中谷〉、〈有兔〉等十七篇，皆與〈正說〉同。又《詩說》缺〈丘中〉、〈我行其埜〉二篇，或鏤版時遺漏。

(8)〈齊〉〈東方未明〉

〈正說〉：申公曰：「齊大夫相戒以勸于公，故作此詩。」

《詩說》：齊大夫相戒以勸于公，故作此詩。

另〈盧〉、〈營〉、〈丰〉、〈敝苟〉、〈南山〉、〈載敺〉、〈猗嗟〉、〈風雨〉、〈雞鳴〉、〈東方之日〉、〈甫田〉、〈著〉等十二篇亦同。

(9)〈魏〉〈杕杜〉

〈正說〉：申公曰：「君子教人孝友之詩。」

《詩說》：君子教人孝友之詩。

另〈伐檀〉、〈陟岵〉、〈園有桃〉、〈碩鼠〉、〈鴇羽〉、〈葛屨〉等六篇亦同。

(10)〈唐〉〈彼汾〉

〈正說〉：申公曰：「晉人刺其大夫之詩。」

《詩說》：晉人刺其大夫之詩。

另〈苿〉、〈揚之水〉、〈無衣〉、〈葛生〉、〈采苓〉、〈野有蔓艸〉、〈羔求〉、〈綢繆〉等八篇亦同。

(11)〈曹〉〈尸鳩〉

〈正說〉：申公曰：「曹尗為政有度，國人美之，而作是詩。」

《詩說》：曹尗為政有度，國人美之而作是詩。

(12)〈鄶〉〈匪風〉

〈正說〉：申公曰：「周室衰微，賢人憂嘆而作。」

《詩說》：周室衰微，賢人憂嘆而作。

另〈萇楚〉、〈睗之水〉、〈大路〉等三篇亦同。

(13)〈鄭〉〈緇衣〉

〈正說〉：申公曰：「鄭武公好賢，賦詩貽之。」

《詩說》：鄭武公好賢，賦詩貽之。

另〈將仲〉、〈籜兮〉、〈扶胥〉、〈麥秀〉（《世學》作〈狡童〉）、〈褰裳〉、〈羔求〉等六篇亦同。

(14)〈陳〉〈株林〉

〈正說〉：申公曰：「陳靈公通乎夏姬，國人刺之。」

《詩說》：陳靈公通乎夏姬，國人刺之。

另〈防有鵲巢〉、〈墓門〉、〈澤陂〉等三篇亦同。

(15)〈秦〉〈無衣〉

〈正說〉：申公曰：「秦襄公以王命征戎，周人赴之。」

《詩說》：秦襄公以王命征戎，周人赴之。

另〈小戎〉、〈兼葭〉等兩篇亦同。

(16)〈豳〉〈邠風〉

〈正說〉：申公曰：「周公陳農政之詩。」

《詩說》：周公陳農政之詩。

〈邠風〉一詩，《詩說》入〈小疋〉，受《世學》之影響也，說已見前。另〈鴟鴞〉、〈東山〉、〈狼跋〉、〈伐柯〉、〈九罭〉、〈破斧〉入〈魯風〉，詩旨亦與〈正說〉同。

(17)〈小疋〉〈鹿鳴〉

〈正說〉：申公曰：「天子燕賓師之歌。」

《詩說》：天子燕賓師之歌。

另〈伐木〉、〈青莪〉、〈隰桑〉、〈白駒〉、〈常棣〉、〈頍弁〉、〈南有嘉魚〉、〈魚麗〉、〈匏葉〉、〈南山有臺〉、〈天保〉、〈煌華〉、〈四牡〉、〈杕杜〉、〈南山〉、〈楚茨〉、〈甫田〉、〈大田〉、〈斯干〉、〈鴻鴈〉、〈蓼蕭〉、〈湛露〉、〈彤弓〉、〈桑扈〉、〈采朩〉、〈瞻彼洛矣〉、〈鴛鴦〉、〈魚藻〉等二十八篇皆同。又《詩說》漏刻〈鶴鳴〉一篇。

(18)〈小疋續〉〈六月〉

〈正說〉：申公曰：「尹吉甫帥師征玁狁，史籀美之。」

《詩說》：尹吉甫帥師征玁狁，史籀美之。

另〈出車〉、〈采薇〉、〈采芑〉、〈黍苗〉、〈車工〉、〈庭尞〉、〈沔水〉、〈無羊〉、〈車舝〉等九篇亦同。

(19)〈小疋傳〉〈青蠅〉

〈正說〉：申公曰：「厲王之世，讒言繁興，君子憂之而作。」

《詩說》：厲王之世讒言繁興，君子憂之而作。

另〈鼓鐘〉、〈圻招〉、〈緜蠻〉、〈小東〉、〈菀柳〉、〈小明〉、〈小弁〉、〈巷伯〉、〈巧言〉、〈白華〉、〈蓼莪〉、〈賓之初筵〉、〈懿戒〉、〈四月〉、〈正月〉等十五篇亦同。

(20)〈大疋〉〈嘉樂〉

〈正說〉：申公曰：「公尸美王者之樂歌。」

《詩說》：公尸美王者之樂歌。

另〈文王〉、〈公劉〉、〈緜〉、〈棫樸〉、〈旱麓〉、〈靈臺〉、〈大明〉、〈文王有聲〉、〈行葦〉、〈既醉〉、〈鳧鷖〉、〈大武〉等十二篇亦同。

(21)〈大疋續〉〈雲漢〉

〈正說〉：申公曰：「宣王憂旱之詩。」

《詩說》：宣王憂旱，史籀美之。

兩者不盡相同，或作偽者以意改之。另〈崧高〉、〈韓奕〉、〈江漢〉〈常武〉等四篇則與〈正說〉同。

（22）〈大疋傳〉〈蕩〉

〈正說〉：申公曰：「厲王無道，召穆公賦此詩以諫之。」

《詩說》：厲王無道，召穆公賦（詩）諫之。

另〈桑柔〉、〈民勞〉、〈板〉、〈瞻仰〉、〈召旻〉等亦同。

（23）〈頌〉〈思文〉

〈正說〉：申公曰：「郊祀后稷以配天之樂歌。」

《詩說》：郊祀后稷以配天之樂歌。

另〈清廟〉一篇亦同。

（24）〈頌〉〈昊天有成命〉

〈正說〉：申公曰：「康王禘成王于明堂之詩。」

《詩說》：康王禘成王于明堂之詩。

另〈噫嘻〉一篇亦同。

（25）〈魯〉〈駉〉

〈正說〉：申公曰：「史克美僖公考牧之詩。」

《詩說》：史克美僖公考牧之詩。

另〈楚宮〉、〈泮宮〉（《世學》作〈泮水〉）、〈閟宮〉等亦同。《詩說》將〈魯頌〉移入〈魯風〉中。

《世學》〈正說〉引「申公曰」如此之多，且《世學》於行文中，亦時以申公為證：如

一、《世學》黃佐〈序〉：「……申公生于秦，老于漢，傳子貢之

學。」[154]

二、〈木瓜〉下〈考補〉引泰泉黃子曰：「……則知申公朋友相贈之說，真得旨矣。」[155]

三、〈芄蘭〉下〈考補〉引秦泉黃子曰：「申公謂此篇亦譏三朩，……」[156]

四、〈子衿〉下〈考補〉引泰泉黃子曰：「……由未見子貢、申公之說故耳。」[157]

五、〈蟋蟀〉下〈續考〉云：「此篇《石經》子貢《傳》、申公說，俱殘闕不完，……」[158]

六、〈邠風〉下〈正說〉云：「……子貢之傳，申公之編，鴻都之刻是也。」[159]

七、〈小疋〉下〈正音〉云：「此卷七篇毛氏以〈邠風〉列變風之末，謬甚。……今考子貢《傳》，依《三體石經》申公所編，定其次序如左。」[160]

據此，《詩說》似應早於《世學》，為《世學》立說之根據，始為合理。然事實又不如此也。據《詩傳》版本異同一節，改本《詩傳》及《詩說》之篇名、篇目次序等，皆受《世學》影響。此更有旁證二，可證知《詩說》不早於《世學》。

一、《世學》列《詩傳》於卷首，若果當時已有《詩說》，何不與

154 《魯詩世學》，卷首。
155 《魯詩世學》，卷4。
156 《魯詩世學》，卷4。
157 《魯詩世學》，卷6。
158 《魯詩世學》，卷9。
159 《魯詩世學》，卷15。
160 《魯詩世學》，卷18。

《詩傳》俱列卷首，更能印證申公之說。

二、《詩傳》有〈正說〉、〈考補〉、〈續考〉等闡釋之文，若果《詩說》在《世學》之前，似應亦有之，以證其傳自先人。然據《詩說》之版本及各種記載，皆不云《詩說》有〈正說〉等闡釋之文。

此外，更有本證數點，可於《詩說》抄襲《世學》之其他方式中見之。

2 襲《世學》所引《子貢傳》

(1)〈周南〉〈關雎〉

〈正說〉：魯申公主《子貢傳》以為文王之妃太姒，思得淑女以充嬪御之職，而供祭祀賓客之事，故作是詩。

《詩說》：文王之妃太姒，思得淑女以充嬪御之職，而供祭祀賓客之事，故作是詩。

(2)〈衛〉〈日月〉

〈正說〉：子貢以為州吁殺桓公，莊姜大歸而作。

《詩說》：州吁殺桓公，莊姜大歸而作。

(3)〈衛〉〈燕燕〉

〈正說〉：《子貢傳》謂莊姜與娣戴嬀，皆為州吁所逐，同出衛野而別，莊姜作詩以贈嬀焉。

《詩說》：莊姜與娣戴嬀皆為州吁所逐，同出衛野而別，莊姜作詩以贈嬀焉。

(4)〈唐〉〈杕杜〉

〈正說〉：子貢以為晉文公好賢而國人美之之詩。

《詩說》：晉文公好賢而國人美之。

此四詩，〈正說〉所引「《子貢傳》以為」、「《子貢傳》謂」，皆與《詩說》同。若果《詩說》早於《世學》，坊何不直引為「申公曰」，又何必稱「《子貢傳》」云云耶！《詩說》抄自《世學》，此亦可為佐證也。

3 襲《世學》所引「朱子曰」

《世學》〈正說〉所引，明云「朱子曰」，而《詩說》襲為己說者，有二十六篇。茲略舉數例如下。

(1)〈魏〉〈十畝之間〉

〈正說〉：朱子曰：「政亂國危，賢者不樂仕於朝，而思與其友歸於農畝。」

《詩說》：政亂國危，賢者不樂仕于其朝，而思與友歸於農畝。

(2)〈鄶〉〈羔求〉

〈正說〉：朱子曰：「鄶君不能自強於政治，國人憂之，而作是詩。」

《詩說》：鄶君不能自強于政治，國人憂之而作。

(3)〈小疋傳〉〈角弓〉

〈正說〉：朱子曰：「此天子美諸侯之詩。」

《詩說》：天子美諸侯之詩。

(4)〈小疋傳〉〈角弓〉

〈正說〉：朱子曰：「王不親九族而好讒佞，宗族相怨之詩。」

《詩說》：王不親九族而好讒佞，宗族相怨之詩。

(5)〈大疋〉〈生民〉

〈正說〉：申公曰：「武王尊后稷為皇，王祀之南郊，以配上帝，周公作〈思文〉之頌，又作此詩，為受釐之樂，以戒嗣王。」朱子曰：「周公制禮作樂，推本其始命之詳，明其受命於天者，其原如此。」

《詩說》：周公制禮作樂，尊后稷以配天，故作此詩，以推本其始命之祥，明其受命於天者，其原如此。」

(6)〈頌〉〈維天之命〉

〈正說〉：朱子曰：「此亦祭文王之詩。」

《詩說》：亦祭文王之詩。

(7)〈頌〉〈載見〉

〈正說〉：朱子曰：「此諸侯助祭于武王廟之詩。」

《詩說》：此諸侯助祭于武王廟之詩。

(8)〈魯〉〈有駜〉

〈正說〉：朱子曰：「此燕飲而頌禱之詞。」

《詩說》：燕飲而頌禱之詞。

另〈衛〉〈河廣〉、〈式微〉，〈鄭〉〈女曰雞鳴〉，〈陳〉〈衡門〉，〈小疋傳〉〈小旻〉、〈鳴鳩〉，〈大疋〉〈思齊〉、〈皇矣〉、〈卷阿〉，〈大疋續〉〈烝民〉，〈頌〉〈天作〉、〈訪落〉、〈敬之〉、〈毖〉、〈有瞽〉、〈豐年〉、〈載芟〉，〈商頌〉〈郙〉等十八篇，亦皆與〈正說〉所引「朱子曰」同。若果《詩說》早於《世學》，則坊逕引《詩說》即可，何必再引「朱子曰」？且坊曾云《世學》之「大義全主子貢、申公，而漢、唐、宋、元諸儒之說有暗合者，亦擇取其長以推演之。」則其棄應主之大義不取，而反採暗合之朱子，何其矛盾也？故云《詩說》襲自《世學》，非臆度也。

4 襲《世學》所引「舊說」等

《世學》〈正說〉所引，明云「舊說」、「先儒」、「〈小序〉曰」、「毛氏」、「或曰」等說，而《詩說》襲為已說者，凡八篇。茲列舉如下：

(1)〈衛〉〈擊鼓〉

〈正說〉：先儒皆謂州吁伐鄭，國人怨之而作。

《詩說》：州吁伐鄭，國人怨之而作。

(2)〈衛〉〈親臺〉

〈正說〉：舊說宣公為伋娶婦而美，築親臺而自納之，國人惡之，而賦其事也。

《詩說》：衛宣公為伋娶婦而美，築親臺而自納之，衛人惡之而賦其事也。

(3)〈衛〉〈載馳〉

〈正說〉：毛氏曰：「許穆夫人閔衛之亡，傷許之小，力不能救，思歸唁其兄，又義不得，故賦此詩。」

《詩說》：許穆夫人閔衛之亡，傷許之小，力不能救，思歸唁其兄，又義不得，故賦此詩。

(4)〈鄭〉〈溱洧〉

〈正說〉：〈小序〉曰：「刺亂也。」二章皆賦體。

《詩說》：刺亂也。皆賦體。

(5)〈陳〉〈宛丘〉

〈正說〉：或曰：「蓋譏其大夫。」

《詩說》：陳人譏其大夫之詩。

(6)〈小疋傳〉〈谷風〉

〈正說〉：先儒皆以為朋友相怨之詩。

《詩說》：朋友相怨之詩。

(7)〈大疋〉〈泂酌〉

〈正說〉：舊說以為召康公戒成王之詩。

《詩說》：召康公戒成王之詩。

(8)〈商頌〉〈殷武〉

〈正說〉：舊說以為祀高宗之樂，蓋帝乙之世，武丁親盡當祧，以其中興功高，存而不毀，特新其廟，稱為高宗而祀之，故作此歌。

《詩說》：祀高宗之樂，（下全同）。

若果《詩說》早於《世學》，坊何不逕引之？如已引之，又何不繫以「申公曰」三字，反稱「舊說」、「先儒」、「毛氏」耶？凡此，皆相互牴牾，令人疑惑不解。若云《詩說》襲自《世學》，則疑惑頓消，無所干礙矣。

5 襲《世學》〈正說〉之文

(1)〈小疋〉〈瓠葉〉下小註云

以上三詩（按：指〈嘉魚〉、〈魚麗〉、〈瓠葉〉）《子貢傳》以為皆燕大臣之詩，而其詞亦有隆殺焉。

按：此為《世學》卷十六〈小疋〉〈南有嘉魚〉首章下〈正說〉之文。

(2)〈小疋續〉大題下小註云

此卷十一篇，皆宣王中興之詩，當時亦奏之燕享，以續周公之正樂矣，毛氏為變〈小疋〉，非也。

按：此為《世學》卷二十〈小疋續〉下〈正說〉之文。

(3)〈小疋傳〉大題下小註云

〈鐘鼓〉而下二十八篇，蓋自昭、穆至于幽、平，或公卿大夫諷諫于上，或士君子怨思于下，亦皆出于好惡之公，而得夫情性之正，夫子錄之以存鑒戒。謂之傳者，以其非奏樂之正經，而亦可傳也。〈大疋傳〉倣此。

按：此為《世學》卷二十一〈小疋傳〉大題下〈正說〉之文。

(4)〈大疋續〉大題下小註云

此卷六篇皆宣王時詩，亦奏之會朝以續周、召之〈大疋〉矣，《毛詩》列之〈民勞〉、〈板〉、〈蕩〉、〈抑〉、〈桑柔〉之後，而謂之變〈大疋〉，非也。

按：此為《世學》卷二十七〈大疋續〉大題下〈正說〉之文。

(5)〈大疋傳〉大題下小註云

此卷四篇（按：指〈蕩〉、〈桑柔〉、〈民勞〉、〈板〉），皆厲王時詩，二篇（按：指〈瞻仰〉、〈召旻〉）為幽王時詩，本非用之為會朝之樂及受釐陳戒之辭也。夫子特（按：原誤作「時」）以其文體音節之相似而傳之，以示戒焉。

按：此為《世學》卷二十八〈大疋傳〉大題下〈正說〉之文。唯「二篇為幽王時詩」，《世學》原作「六篇皆幽王時詩」，蓋作偽者以意改之。據此，《詩說》出自《世學》後之證據，亦更確鑿矣！

6　就《世學》不解題者言之

《世學》〈正說〉不解題之詩有十三篇：

〈唐〉：〈蟋蟀〉、〈山有樞〉
〈曹〉：〈蜉蝣〉、〈候人〉
〈陳〉：〈東門之枌〉、〈東門之池〉、〈東門之楊〉
〈秦〉：〈車鄰〉、〈終南〉、〈駟驖〉、〈黃鳥〉、〈晨風〉、〈權輿〉。

此十三篇，除〈陳〉三篇，《詩說》亦無解題外，其餘十篇皆有。《世學》既云「大義全主子貢、申公」，則《詩說》十篇之文，似應為《世學》所取，即不之取，亦應有所論辨。而《世學》意無一語及之，似不知有《詩說》者也！據此，若云《詩說》在《世學》之前，豈合理乎？

7 結論

《詩說》既襲自《世學》，其抄襲之法，不費巧思，僅依《世學》之意，將〈豳〉七篇之〈邠風〉，移入〈小疋〉，其餘〈鴟鴞〉、〈東山〉、〈狼跋〉、〈伐柯〉、〈九罭〉、〈破斧〉六篇，與〈魯〉之〈駉〉、〈楚宮〉、〈泮宮〉、〈泮水〉、〈有駜〉、〈閟宮〉六篇合併，移入〈召南〉之後，〈邶〉之前，稱為〈魯〉，為十五〈國風〉之一。然後，逐一將《世學》〈正說〉所引之「申公曰」、「朱子曰」等，抄錄成書。遇《世學》〈正說〉無解題者，即以意實之，或竟付之闕如（如〈陳〉三篇）。此種作偽，雖頗便捷，技巧則甚拙劣也。

四 《申培詩說》之作者

歷來論《詩說》作者者，分成兩派：

（一）豐坊作　朱彝尊、姚際恆、《四庫提要》等主之。

（二）王文祿作　姚士粦、胡震亨、余嘉錫等主之。

以《詩說》為坊偽作者，皆因誤解《詩說》出現之情狀，且不詳考坊之《魯詩世學》所致。今既知《詩說》出現情狀與《詩傳》不同，且全襲自坊之《世學》，則殆不為坊所作。蓋坊既於《世學》〈正說〉中明云「朱子曰」、「舊說」、「〈小序〉曰」、「毛氏」等說，如再襲以成書，豈非援戈自伐？

又，明人亦多不以《詩說》作於坊。如周應賓云：「近又有刻《詩說》者，其體與《毛詩》〈小序〉相類，云是申公所著，其說與豐氏盡同，惟篇次稍異耳。……是又依倣豐氏而為之者耳。」[161]應賓為坊同鄉，時代略後於坊，已不能確知《詩說》之作者，而百年後之清人，竟能言之鑿鑿，何耶？

《詩說》既襲自《魯詩世學》，篇目順序又與改本《詩傳》如出

161 《九經考異》〈詩經〉，頁1。

一轍，且如〈齊〉〈東方未明〉之詩旨，改本《詩傳》不與鈔本同，反同於《詩說》。而《詩傳》改本之作者一節所舉之五項證據，亦全適用於《詩說》。則其作偽者，疑亦為王文祿。蓋文祿既得《世學》。將《世學》〈正說〉所引詩旨，逐一抄錄，並將《詩傳》竄改，合刊於《丘陵學山》也。余嘉錫雖亦主王文祿所偽，然其推論之過程實誤。余氏云：

> 蓋坊既示以《詩傳》，文祿遂依坊為此，以為羽翼。二人交誼甚密，故相與狼狽如此。[162]

余氏以為《詩說》襲自《詩傳》，蓋未詳讀《世學》也。

162　《四庫提要辨證》，卷1，〈經部一〉，頁45-46。

第三章
姚士粦及其著述

第一節　姚士粦之生平

姚士粦，字叔祥，明浙江嘉興府海鹽縣人。生於世宗嘉靖四十年（1561）辛酉。[1]

士粦家貧，十三而孤，年二十，猶目不識丁，以寫照自給，寓居德清姜孩日家。姜曰：「男子何可不知書？」遂授以句讀。[2]萬曆十年（1582），客寓杭州，親見浙中兵民兩變，云「此生中之不幸也」。[3]十一年（1583），客於濳排後村之顧氏。[4]十二年（1584），以書削自給於同縣姻家呂氏，與呂氏子兆禧結契觚翰，肆募篇籍，晝供帖括，夜博子史，至丙夜不休。兩人每讀一書，必乙其處以自程。[5]十六年（1588），與胡震亨、呂兆禧赴臨安書肆搜檢古書，得《異苑》等三冊。[6]二十年（1592），入陝西巡撫沈思孝幕中，見寧夏哱拜之亂。[7]後思孝回京師任大理卿[8]，士粦亦返京。二十二年（1594），在潞河（即

1　姚士粦《見只編》自敘云：「年二十時，姜氏始授以句讀。」是年為庚辰年，即萬曆八年（1580），上溯二十年，為嘉靖四十年（1561），即士粦出生之年。見《見只編》卷上，頁19。

2　《見只編》，卷上，頁19。

3　《見只編》，卷上，頁3。

4　《見只編》，卷上，頁30。

5　《見只編》，卷上，頁27。

6　《見只編》，卷中，頁28。

7　《見只編》，卷上，頁10。

8　《明史》，卷229，〈沈思孝傳〉。

白河，為北運河之上游）道中，與胡應麟論古今四部書。[9]二十四年（1596）三月九日，在京師夜聞乾清宮火。[10]同年秋，思孝引疾歸嘉興[11]，士粦亦南返。二十五年（1597），馮夢禎祭酒南京國子監，士粦由檇李（在今浙江嘉興縣西南七十里）往訪，夢禎以沈約《宋書》多訛謬，命士粦覆校，士粦取漢、晉諸史，及《通典》、《通志略》、諸子、諸集，互相校質，偏旁點畫，是正數千字。[12]其他南北諸史，亦多出士粦之手。三十一年（1603），士粦與胡震亨、沈士龍，蒐討秦、漢以來遺文秘簡，輯成《秘冊彙函》，跋尾各有考據，以詳其原委。[13]

天啟二年（1622）秋，海鹽縣令樊維城以修縣志事屬胡震亨，震亨引士粦共事，士粦草〈人物志〉與〈官師志〉，各成十之五六。[14]後維城又以郡藝文事屬士粦及鄭思孟，士粦遂謝縣志事，轉客思孟所。[15]旋輯成《鹽邑志林》，開後世郡邑叢書之先河。

崇禎十三年（1640），士粦過明發堂，與錢謙益共論古今詞人，謙益有〈戲作絕句十六首〉記其事。[16]謙益云：「（士粦）晚歲數過余，年將九十矣。聚談至分夜不寐。兵興後，窮餓以死。」[17]「兵興」，蓋指崇禎十七年（1644），滿清入關，於順治二年（1645）進克杭州、嘉興等事，此時士粦八十五歲。謙益所云「近九十」，蓋約略

9 《見只編》，卷中，頁10；又〔明〕胡應麟：《甲乙剩言》，頁6，「知己傳」條。

10 《見只編》，卷中，頁8。

11 《明史》，卷229，〈沈思孝傳〉。

12 《見只編》，卷中，頁25。

13 〔清〕錢謙益：《列朝詩集小傳》，頁407。

14 《海鹽縣圖經》目錄後，頁3。

15 《海鹽縣圖經》目錄後，頁3。

16 〔清〕錢謙益：《牧齋初學集》，卷17，頁184。又《牧齋初學集》〈移居詩集〉下注云：「起庚辰三月盡十月。」（見《牧齋初學集》，卷17），庚辰為崇禎十三年（1640）。

17 〔清〕錢謙益：《列朝詩集小傳》，頁407。

之詞。則士粦之卒，當在順治二、三年（1645-1646）左右，年約八十五、六歲。雖「窮餓以死」，亦云壽考矣。

第二節　姚士粦之輯佚工作

士粦有好書癖，雖一生為客，遊屐半天下[18]，未嘗一日廢書也，故當時號稱奧博。其校刻南北諸史，編《秘冊彙函》，輯《鹽邑志林》，雖非精審，亦功在士林矣。然其所最勠力者，殆為輯佚工作。所輯計有漢魏六朝文集十一種、《陸氏易解》、《羅昭諫集》等。今分述如下：

一　漢魏六朝文集十一種

《見只編》云：「漢、魏、六朝文集，靖康間悉為金虜輦去。今按《通考》所載，自宋玉至顏之推僅三十種耳。今所見惟董仲舒、蔡中郎、陳思王、嵇康、陸機、陸雲、陶靖節、鮑參軍、謝宣城、江淹、庾開府十餘集。其他如固安鄭錦衣所輯《揚子雲集》，吾郡沈沂川先生所輯《謝靈運》、《沈休文集》，吾友劉少彝所輯《徐陵集》，皆近出也。往余友呂錫侯（兆禧）與余欲從史傳、《文選》及諸類書、地記、子襍，盡錄古人文集，所就者有東方朔、潘岳、潘尼、傅玄、傅咸、孫楚、孫綽、夏侯湛、顏延之、任昉、梁簡文、梁元帝十一種，先刻于《漢魏名家》者為東方朔、潘岳、任昉，後刻于《顏氏傳書》者，為顏延之。惟簡文尚存齋頭。」[19]蓋士粦為明末有系統蒐輯漢、魏、六朝文集之始。其所輯，乃就史傳、《文選》及類書等為

18　《見只編》，〈序〉。
19　《見只編》，卷上，頁34。

之。今《漢魏名家》所收《東方先生集》一卷、《潘黃門集》六卷、《任彥升集》六卷，均題「呂兆禧校」。其餘八種，今皆未見。然其倡風氣之先，明萬曆以後，張燮輯《七十二家集》，張溥輯《漢魏六朝百三家集》，殆亦受其影響者。

二　《陸氏易解》一卷 三國陸績撰

陸績，字公紀，三國吳人，所作《周易註》，《隋書》〈經籍志〉作十五卷，《經典釋文》、〈新、舊唐志〉作《周易述》十三卷，《會通》一卷。《宋史》〈藝文志〉不載，殆亡於五代時。此一卷為士粦所輯，計一百五十五條。《四庫提要》云：「昔宋王應麟輯鄭氏《易註》，為學者所重，士粦此本雖不及應麟搜討之勤博，而掇拾殘剩，存十一於千百，亦可以見陸氏《易註》之大略矣。」[20]

士粦所輯間及陸績《京氏易傳註》，清李筠嘉斥為「昧於經學、數學之別。」[21]又士粦所輯缺漏甚多，清孫堂曾加以增補，比士粦多四分之一，可謂後出轉精矣。

三　《重輯羅昭諫集》五卷 唐羅隱撰

羅昭諫，名隱，唐新登縣人。本名橫，以十舉不中，遂更名隱。事蹟見《吳越備史》。[22]其集《通志》〈藝文略〉、《直齋書錄解題》各有著錄，然卷數多寡不一。此五卷為士粦所輯，今未見，不詳內容如何。清楊復吉云：「辛亥秋日，從姚子英三假其舊藏寫本（《讒書》）

20 《四庫全書總目》，卷1，〈經部・易類一〉，頁2。

21 《(同治)上海縣志》，卷20，〈李筠嘉傳〉，頁40。

22 《吳越備史》，卷1，〈羅隱傳〉，頁45。

第五卷及原跋讀之，內惟〈與招討宋將軍書〉、〈說石列士〉、〈拾甲子年事〉、〈請追癸巳日詔疏〉四首，載入姚叔祥所刊《羅江東集》，餘皆近代所罕傳。」[23]可知士粦所輯未為完備。

第三節　姚士粦之著作

一　自著書

(一)《後梁春秋》　存

《千頃堂書目》[24]、《明史》〈藝文志〉[25]、《四庫提要》[26]俱作十卷。

《欽定續文獻通考》[27]、《善本書室藏書志》[28]俱作二卷。

今國家圖書館所藏者，為清乾隆三年（1738）浙西沈濬手鈔本，二卷二冊。前有萬曆三十五年（1607）李作舟、顏成章、濮陽春等三人序。

士粦於萬曆二十五年（1597）為馮夢禎校刻南北諸史。本書蓋士粦既校刻南北諸史後所作。萬曆三十五年（1607）刊行，刻本今已罕見。

《四庫提要》云：「是書以後梁主蕭詧為武帝冢孫，宜嗣梁祚，武帝奪嫡而立簡文，卒致覆滅。而詧附魏立國，凡歷三主三十三年乃

23 〔唐〕羅昭諫：《讒書》，〔清〕楊復吉：〈跋〉。
24 《千頃堂書目》，卷5，〈史部．霸史類〉，頁24。
25 《明史》〈藝文志〉，卷2，〈史類〉，頁40。
26 《四庫全書總目》，卷66，〈史部．載記類．存目〉，頁40。
27 《欽定續文獻通考》，卷166，頁4174。
28 《善本書室藏書志》，卷10，頁11。

亡，能保其祀。《北史》及《周》、《隋》二史記載頗略，故作此書，欲以詧續梁統。用編年之法，採取史傳，傍摭文集。因時表事，因事附人，排比具詳。其間如詧通魏後，即用北魏紀年，而不書太清之號，以絕元帝於梁，又於陳諸帝，皆直書其名，以示黜貶之意。然詧為昭明第三子，原非必應得國之人，其立也又非受國於武帝，值是時，弟兄搆釁，同氣相屠，借魏朝兵力獲奉宗祧，僅區區守江陵三百里之地，身為附庸，北面事人，其事實無可稱。士粦此書與以南唐為正統者同一偏僻。」[29]

(二)《西魏春秋》 佚

《千頃堂書目》及各家藏書志均不見著錄。

李作舟云：「姚子名士粦，經生而貧，力于古者，尚有《西魏春秋》，……」[30]

《四庫提要》云：「士粦又嘗為《西魏春秋》若干卷，蓋亦以補魏收書之闕，今佚不傳。」[31]是書蓋亦作於萬曆二十五年（1597）為馮夢禎校刊南北諸史之後。

(三)《吳少君遺事》 存

《千頃堂書目》著錄[32]，不註卷數。

今本見《鹽邑志林》卷五十二，全一卷。

吳少君，名孺子，婺州蘭谿人。不治生業，盡鬻其田廬，生子不

29 《四庫全書總目》，卷66，〈史部・載記類・存目〉，頁40。

30 《後梁春秋》李作舟〈序〉。

31 《四庫全書總目》，卷66，〈史部・載記類・存目〉，頁40。

32 《千頃堂書目》，卷10，〈史部・傳記類〉，頁23。

育，妻妾俱夭殁，遂無家。[33]流寓檇李，遊海鹽，館錢懋穀家，有《詩集》六卷行於世。[34]

士粦云：「粦讀鄒、王兩公〈吳少君志傳〉，怪其辟傲自遂，雅負流俗，而世亦卒能成就之，彼豈漫無操挾然哉！比從諸名舊（「舊」字疑有誤），得少君遺事，乃知少君以廉儉奉己，惕畏御人，既不攘一世之所心鬥，而復以湯火視一世，故雖身處人間，心遠人外，已至于韻客道流，朝暾夜雪，水石英卉之類，固舉世所不必爭，宜少君有之，以至乎老死也。因條拾如下，以遺未悉少君者。」[35]是書共輯錄少君遺事二十六則。

（四）《日畿訪勝錄》　未見

《千頃堂書目》不著錄。

《欽定續文獻通考》[36]、《四庫提要》[37]俱作一卷。

《四庫提要》云：「此錄乃萬曆甲午（二十二年，1594）士粦遊京師時，尋訪都城內外諸勝，因彙輯成編。然所載古蹟實皆鈔撮孫國敉《燕都游覽志》、蔣一葵《長安客話》諸書，別無異聞，不足資證據也。」[38]

（五）《陸氏世譜》、《顧氏世譜》　佚

《千頃堂書目》及各家藏書志均不見著錄。

吳縣先賢陸、顧二氏之譜錄，先已有徐光澤著於前。胡震亨云：

---

33 《兩浙名賢錄》，卷47，〈文苑傳〉〈吳少君孺子傳〉。

34 《吳少君遺事》，卷末註。

35 《吳少君遺事》，卷前敘。

36 《欽定續文獻通考》，卷171，頁4198。

37 《四庫全書總目》，卷78，〈史部・地理類・存目〉，頁4。

38 《四庫全書總目》，卷78，〈史部・地理類・存目〉，頁4。

「而友人姚叔祥氏，復謂吳賢陸、顧，於鹽具有瓜葛，焉容薪茲宗幹，漏彼緜瓞？別纂新編，引類較徐書尤繁富焉。」[39]知士粦之書為補徐氏之不足也。士粦自敘曰：「陸、顧兩族，皆自漢至唐，各有源派相承，不忍斷裂，以代附人，欲令後知前獻苗穎，如登其堂皇，鏡見千載一門眉面耳。」[40]由此可見兩書體例之梗概。今兩書遺文，多見於胡震亨所纂《海鹽縣圖經》〈人物篇〉，可略窺士粦譜學之一二。

(六)《見只編》 存

《千頃堂書目》及各家藏書志均不見著錄。

今本見《鹽邑志林》卷五十三至卷五十五，分上、中、下三卷。前有項鼎鉉、屠中孚兩人序。

中孚云：「此吾甥孟璜刻于乙亥，幾十年矣。」[41]按乙亥為崇禎八年（1635），而此書早於天啟三年（1623）輯入《鹽邑志林》，中孚所云必有誤。

是書所記，多士粦本身行事與鄉先輩之遺聞軼事。此外，如記浙中兵民之變、寧夏哱拜之亂、倭寇之侵犯沿海等，皆可補史料之不足。

(七)《蓮花幕記》 佚

《千頃堂書目》不著錄。

《浙江通志》[42]、《嘉興府志》[43]著錄，俱不註卷數。

盛楓云：「士粦以同郡右都御史沈思孝出撫陝西，招入幕府，遍

39 《海鹽縣圖經》，卷11，〈人物篇〉，頁1。

40 引自《海鹽縣圖經》，卷11，〈人物篇〉，頁9。

41 《見只編》屠中孚〈序〉。

42 《浙江通志》，卷244，〈經籍四〉，頁19。

43 《嘉興府志》，卷80，〈經籍一〉，頁50。

歷九邊沙磧。」[44]則此書殆作於萬曆二十年（1592）間。所記蓋為士粦佐戎幕時之瑣事，及關中山川風物等。

(八)《蒙吉堂詩集》　佚

《列朝詩集小傳》云：「叔祥有《詩集》四卷。」[45]

《明詩綜》云：「有《蒙吉堂詩集》。」[46]

此書《千頃堂書目》及各家藏書志均不見著錄，蓋其佚已久，《明詩綜》錄其〈薛潤孃七夕生日〉一首，云：

> 生逢烏鵲渡河秋，乞巧今番免上樓；
> 莫訝眼邊多俗物，天孫亦衹嫁牽牛。[47]

士粦自敘其集云：「念樂寫鏡，才不副音，口憒趁聲，句必杜撰。」[48]胡震亨論曰：「其于唐詩，能以變為復，不隨人腳跟生。」[49]蓋有意振奇，不屑為時調者也。

二　偽書

士粦受當時作偽風氣之影響，亦多作偽書。後人疑其所為者，有

---

44 引自《嘉興府志》，卷80，〈經籍一〉，頁50。

45 《列朝詩集小傳》，丁集下，頁407。

46 《明詩綜》，卷71，頁3。又《嘉興府志》著錄作「蒙古堂詩集」（卷81，頁46），《善本書室藏書志》〈後梁春秋〉條述士粦著作，亦作「蒙古詩集」（卷10，頁11）。按《周易》〈蒙〉九二云：「包蒙，吉。」六五云：「童蒙，吉。」士粦嫻於《易》，其書齋或取典於此。疑作「蒙古堂」者非也。

47 《明詩綜》，卷71，頁3。

48 引自《列朝詩集小傳》，丁集下，頁407。

49 引自《列朝詩集小傳》，丁集下，頁407。

《孟子外書》、《於陵子》、《鐵函心史》、《十六國春秋》等四種。

《鐵函心史》之真偽，頗多異說，主其偽者，如姚際恆[50]，《欽定續文獻通考》[51]與劉兆祐師[52]等，皆不主士粦所偽。《心史》之詩句，多作佛家語，與士粦之詩風及行事，頗不相符。兆祐師云：「偽造《心史》的人，是和承天寺頗有關係的人——或常到該寺或寺裡的僧人。」[53]應為可信。

《十六國春秋》百卷本，清王鳴盛斷為士粦與友人屠喬孫、項琳之等共偽[54]，然並無確據；且士粦云：「沈汝納（士龍）有《十六國春秋》百二十卷，儻能刊布，亦同好一大快也。」[55]則非士粦所偽，亦已明矣。

今此二書皆摒而不論，唯於第四、五兩節，詳辨《孟子外書》與《於陵子》。

第四節　《孟子外書》考辨

一　《孟子外書》之來源與流傳

《史記》〈孟荀列傳〉云：

（孟子）退而與萬章之徒序《詩》、《書》，述仲尼之意，作

50 《古今偽書考》〈於陵子〉條附。

51 《欽定續文獻通考》，卷190，頁4293。

52 劉兆祐：〈心史的作者問題〉，《書目季刊》第3卷第4期。

53 劉兆祐：〈心史的作者問題〉，《書目季刊》第3卷第4期。

54 〔清〕王鳴盛：《十七史商榷》，卷53，頁2，崔鴻〈十六國春秋〉條。

55 〔明〕姚士粦：《尚白齋秘岌》〈序〉，引自〔清〕葉昌熾：《藏書紀事詩》，頁160。

《孟子》七篇。[56]

可知司馬遷時僅有《孟子》七篇而已。至《漢書》〈藝文志〉則著錄《孟子》十一篇。[57]《風俗通》〈窮通篇〉云：

> （孟子）退與萬章之徒序《詩》、《書》仲尼之意，作書中外十一篇。[58]

又趙岐〈孟子題辭〉：

> 又有《孟子外書》四篇，〈性善〉、〈辯文〉、〈說孝經〉、〈為政〉，其文不能弘深，不與內篇相似，似非《孟子》本真，後世依仿而託也。[59]

漢人所傳《外書》四篇之來歷，歷來學者鮮有論之者。清周廣業始認為是「民間」傳本，周氏云：

> 《史記》〈列傳〉，《孟子》七篇，無內外之說。趙岐始名七篇為內篇，以四篇為《外書》。案〈漢志〉以內外名篇者，唯雜家《淮南》為然；內篇論道，外雜說也。今《莊子》之分內外，蘇子瞻謂出於世俗，非其本義。以之擬《孟》，均屬不

56 《史記》，卷74，〈孟荀列傳〉。

57 《漢書》〈藝文志〉，諸子略儒家。胡應麟：「《孟子》史稱七篇，明甚；而〈漢志〉十一篇，蓋七字誤分為二也。」按：十一篇乃合《外書》四篇言之，應麟之說非是。（見《少室山房筆叢》，甲部，《經籍會通》，卷3）。

58 《風俗通》，卷7，頁3。

59 《孟子》趙注，卷首。

倫。及觀《風俗通》稱「中外十一篇」，乃得其解。《漢書》〈儒林傳〉:「成帝求《尚書》古文，得張霸百兩篇，以中書校之，非是。」顏師古注：「中書，天子所藏之書也。」〈藝文志〉:「《易》有施、孟、梁丘、京氏列於學官，而民間有費、高二家之說，劉向以『中古文』《易經》校施、孟、梁丘經，或脫去『無咎悔亡』，惟費氏經與古文同。」顏師古注：「中者，天子之書，言中以別於外耳。」然則天子所藏書皆謂之中，學官及民間所有皆謂之外。蓋以孝武開獻書之策，立寫書之官，凡諸子傳說，皆充祕府，《七略》所謂「外有太常、太史、博士之藏，內有延閣、廣內、祕室之府」是也。劉向校《晏子》，稱有「中書」、「太史書」、「臣向書」、「參書」，凡中、外三十篇，定為內篇六、外篇二，例正如此。《孟子》在武帝時，七篇早入大內，故曰中，亦言內，猶今稱中祕書為內府書也，其上太史及學官所肄業，子長所見本皆七篇。至成帝時，陳農所求，劉向父子所校，續得民間本，增多四篇，以中祕所未有，故謂之外。中書多古文善本，《外書》容有增竄，是以趙、劉作注，俱以中書為定也。又案〈劉向傳〉:「成帝好古文，詔向領中《五經》祕書。」顏師古注云：「言中者，以別於外。」因知《後漢書》劉陶推二家尚書及古文是正文字三百餘事，名曰中文尚書，此中文亦謂中書也。《隋書》〈經籍志〉:「兩京亂後，魏氏採掇遺亡，藏在祕書中外三閣，祕書郎鄭默始制《中經》，祕書監荀勖，又因《中經》更著《新簿》。」此《中經》亦謂中書也。〈經籍志〉又云：「漢哀帝時，徙溫室中書於天祿閣上，使劉歆撮其旨要，著為《七略》。」案劉向、揚雄校書亦俱在天祿，故《唐六典》謂向、雄典校皆在禁中，謂之中書，而漢官名有帶中書者，蓋亦倣

> 此。明乎中書之義，則知《孟子》之內篇矣。[60]

周氏所說甚諦。此《外書》四篇，蓋成帝時由民間進呈大內。然趙岐以其「內容不能弘深，不與內篇相似」，遂不為《外書》作注。嗣後傳《孟子》者，悉以內七篇為本，《外書》乃亡佚。其亡於何時，今已不可考。觀《隋書》〈經籍志〉[61]與兩〈唐志〉[62]均不著錄，蓋隋以前即已亡佚也。[63]

南宋時，《外書》突兩度出現。孫奕《履齋示兒編》云：

> 昔嘗聞前輩有云，親見館閣中有《孟子外書》四篇，曰〈性善辯〉，曰〈文說〉，曰〈孝經〉，曰〈為政〉。則時人以「性善辨文」為一句，「說孝經為正」為一句，甚乖旨趣。古文辯、辨，正、政，通用。[64]

又劉昌詩《蘆浦筆記》亦云：

> 予鄉新喻謝氏多藏古書，有〈性善辨〉一帙，則知與〈文

60 《孟子四考》一，頁11。

61 《隋書》〈經籍志〉著錄《孟子》三家，趙岐注十四卷、鄭玄注七卷、劉熙注七卷。下注云：「梁有《孟子》九卷，綦毋邃撰，亡。」（見《隋書》〈經籍志〉，卷3，〈經籍三〉）。或疑綦毋氏注九卷中之兩卷，為《外書》中之兩篇，然並無確據。翟灝《四書考異》〈總考〉十九，〈孟子外書〉節已辨之。

62 《舊唐書》〈經籍志〉與《新唐書》〈藝文志〉著錄趙岐注《孟子》十四卷、劉熙注七卷、鄭玄注七卷、綦毋邃注七卷，均不及《外書》。

63 今《文選》、《意林》與唐人類書等，雖有引及七篇以外之文，然未可遽定其必出自《外書》。翟灝《四書考異》〈總考〉十九，〈孟子外書〉節已辨之。

64 《履齋示兒編》，卷6，頁2，「《孟子》篇目」條。

> 說〉、〈孝經〉、〈為正〉，是謂四篇。[65]

然翟灝以為孫奕之言不足採信。而新喻謝氏之藏本，翟氏則以為後人所依託，非《外書》本真。《四書考異》云：

> 孫氏僅得耳聞，當日在館閣諸公，未有以目擊詳言之者，道聽塗說，必不足為案。……且《外書》之篇目，自宜以〈性善〉為一，〈辨文〉為一，〈說孝經〉為一，劉氏以所見之〈性善辨〉，遂以「辨」字上屬，而謂〈文說〉一篇，〈孝經〉一篇。據《論衡》〈本性篇〉，但云孟子作性善之篇，不綴辯字。疑新喻謝氏所藏〈性善辯〉，又屬後人依仿而作，非《外書》本真也。[66]

屈翼鵬師曰：「翟氏認為新喻謝氏所藏的〈性善辯〉一帙，不是《外書》的本真；這說法是可以相信的。但，孫奕的話，我認為也不是謊言。因為他的前輩所見的本子，也是以〈性善辯〉為一篇，〈文說〉為一篇，〈孝經〉為一篇。這不但說明了孫奕的前輩確曾見過這樣一部《孟子外書》；而且，這部《孟子外書》，和新喻謝氏所藏的殘帙，很可能是同出一手的偽本。不過，孫氏說他的前輩，是在館閣中見到《孟子外書》；這話卻有問題。如果閣中藏有此書，必定會載入《崇文總目》。然而《崇文總目》並沒有著錄；可見此說之不可信。我懷疑是孫奕的這位前輩，曾在館閣供職；他在別處見過這個本子，便告訴了孫奕，孫奕就認為他是在館閣中見到的。這雖是揣測之辭，而這

65 《四庫底本蘆浦筆記》，卷2，「性善辨」條，頁30。

66 《四書考異》〈總考〉十九，〈孟子外書〉節。

種可能是會有的。」[67]然此本《外書》，《崇文總目》、《宋史》〈藝文志〉、《文獻通考》〈經籍考〉均無著錄；且王應麟云：「漢《七略》所錄，若《齊論》之〈問王〉、〈知道〉，《孟子》之《外書》四篇，今皆亡傳。」[68]可知南宋出現之《外書》，僅是曇花一現而已。

二　今本《孟子外書》之出現與傳本

明代《孟子外書》又再度出現，即今通行本也。書前有馬廷鸞、涪翁夓淵與武原胡震亨等序跋三首，且有宋熙時子注。胡震亨云：

> 吾友叔祥客濟南，得《孟子外書》見寄。惜第四篇〈為正〉，殘闕不全。真秘冊也。

士粦所以寄與胡震亨，蓋冀震亨代為刊刻流傳。果如此，理應收入震亨所輯之《秘冊彙函》內；否則以晚明士人炫奇嗜博之風氣衡之，此種「秘冊」，似應有多家傳刻。然今可見最早之刻本，為清乾隆間之《函海》本。距《外書》之出現已百餘年矣！或《外書》出現時，震亨之《秘冊彙函》已結束梓板歟？[69]抑胡氏之跋亦出於偽託歟？是未可遽斷也。

清乾隆以後，《外書》之流傳始廣，或傳刻，或補注，都凡十數家。其傳本，可見者有：

（一）清李調元輯《函海》本

---

67 屈萬里：〈孟子七篇的編者和孟子外書的真偽問題〉，《孔孟學報》第7期（1964年4月），頁1-7。

68 〔宋〕王應麟：《困學記聞》，卷10，頁590。

69 《秘冊彙函》刊行於萬曆癸卯（三十一年，西元1603年）秋八月。

（二）清吳騫輯《拜經樓叢書》本
（三）清吳省蘭輯《藝海珠塵》本
（四）清林春溥輯《竹柏山房十五種》本
（五）清錢儀吉輯《經苑》本
（六）清廣漢鍾登甲樂道齋重刊李調元《函海》本
（七）清陳矩輯《靈峯草堂叢書》本
（八）日本內閣文庫藏清寫本

此八種，除林春溥《竹柏山房十五種》本外，其餘七種內容全同。林氏本第四篇〈為正〉比他本多九章，乃據孟經國輯本補入。如刪除此九章，則又與他本相同矣。未見者有：

（一）清丁杰《孟子外書疏證》本[70]
（二）清施彥士輯《求己堂八種》本[71]
（三）清嘉慶間金紹綸校刊本[72]
（四）清孟經國輯《閒道集》本[73]
（五）清姜國伊輯《守中正齋叢書》本[74]
（六）清高驤雲輯《漱琴室存稾》本[75]
（七）國立臺灣大學中國文學系藏日本鈔本[76]

---

70 《四書考異》〈總考〉十九，〈孟子外書〉節云：「今休寧吳君騫偶刊問世，丁君（杰）為之疏證，……」可知丁杰有《孟子外書疏證》。

71 《續修四庫提要》，〈經部〉，頁1262。

72 《續修四庫提要》，〈經部〉，頁1232。

73 《續修四庫提要》，〈經部〉，頁1232。

74 《叢書總目類編》，〈經部・四書類〉，頁149。

75 《叢書總目類編》，〈經部・四書類〉，頁149。

76 《國立臺灣大學中國文學系藏書目錄初稿》，經部第七，四書類。

三　今本《孟子外書》辨偽

今本《孟子外書》之偽，丁杰《孟子外書疏證》已論之[77]，翟灝《四書考異》亦提八驗三證詳加駁斥[78]，然林春溥《孟子外書補證》又以翟氏「捕風捉影，刻意吹求」[79]，提出反證，以明《外書》非偽。今綜合前賢所述與屈翼鵬師所提之論證[80]，並附以己意，再申論之。

（一）就篇名辨之

先秦典籍篇名之訂定，類多取各篇首章之前數字為之，此於語錄體之書最為常見。蓋一篇由多數章節合成，無一貫之意義，以首章之前數字為名，既便翻閱，又便記誦也。《論語》二十篇如是，《孟子》七篇亦然。如：

〈梁惠王〉第一（孟子見梁惠王）
〈公孫丑〉第二（公孫丑問曰）
〈滕文公〉第三（滕文公為世子）
〈離婁〉第四（孟子曰：離婁之明）
〈萬章〉第五（萬章問曰）
〈告子〉第六（告子曰）
〈盡心〉第七（孟子曰：盡其心者，知其性也）

---

77 引自〔清〕林春溥：《孟子外書補證》，頁12。

78 《四書考異》〈總考〉十九，〈孟子外書〉節。

79 〔清〕林春溥：《孟子外書補證》，頁16。

80 屈萬里：〈孟子七篇的編者和孟子外書的真偽問題〉，《孔孟學報》第7期（1964年4月），頁1-7。

可知七篇之名，皆以其篇首章之前數字為之，並無實質之意義。而今《外書》四篇之名，不論其作〈性善〉、〈辯文〉、〈說孝經〉、〈為正〉；或作〈性善辯〉、〈文說〉、〈孝經〉、〈為正〉，皆有其實質之意義。果內七篇與《外書》四篇同出孟子之手或同出一人所編，不應差別如是也。

(二) 就其文體辨之

翟灝《四書考異》云：

> 內書每篇俱五千餘字，篇內多長展之章。今此四篇，每（篇）不及千字，章之略長展者，惟襲《韓詩外傳》淳于髡一條，餘悉勉強支綴，淹淹無生氣，不但不能宏深而已。偽迹之可驗一也。[81]

按：《孟子》內七篇，計三萬四千六百八十五字[82]，平均每篇約五千字，且每章長者千字，短者亦數十字。今《外書》四篇，合計僅三千餘字，不及內七篇之一篇。又每章之短者，僅寥寥數字[83]，更內七篇所絕無僅有者。果出孟子所自著，或同一人所編，篇章之分配不應如此不均也。觀《論語》二十篇愈後愈失其真[84]，則此《外書》四篇之難以採信，亦可知矣。

---

81 《四書考異》〈總考〉十九，〈孟子外書〉節。

82 〔漢〕趙岐：〈孟子題辭〉。

83 如〈孝經第三〉有「孟子曰：矯枉不可過直」，僅九字而已。

84 崔述《論語餘說》謂《論語》後四篇中，可疑者甚。

（三）就其思想辨之

〈文說第二〉云：

> 陳仲子卒，孟子誄之曰：「吁嗟仲子！廉潔以保貞兮，求名而得名兮，數齊國之高士，舍仲子其誰稱兮。惟山高而水流，千古一於陵兮。吁嗟仲子！名長存兮，可慰於九泉兮！」

按：《孟子》〈滕文公〉篇下：匡章曰：「陳仲子，豈不誠廉士哉！……」孟子曰：「於齊國之士，吾必以仲子為巨擘焉。雖然，仲子惡能廉？充仲子之操，則蚓而後可者也。」可知孟子並不以陳仲子為廉士。而此竟以「廉潔以保貞」、「數齊國之高士，舍仲子其誰稱兮」、「千古一於陵兮」、「名長存兮」等誄之。果出孟子之言，不應前後矛盾如是也。故翟灝云：「孟子再斥陳仲子，此以千古高士誄之。……偽跡之可驗二也。」[85]

（四）就其稱謂辨之

1 梁任公云

> 書中引述某人語，則必非某人作，若書是某人作，必無「某某曰」之詞。例如：〈繫辭〉、〈文言〉，說是孔子做的，但其中有許多「子曰」，若真是孔子做的，便不應如此。[86]

屈翼鵬師更云：

85　《四書考異》〈總考〉十九，〈孟子外書〉節。

86　梁啟超：《古書真偽及其年代》，頁43。

> 《孟子》書中對他自己也稱子，例如那些數不清的「孟子曰」；這顯然不是孟子自己的口氣。[87]

同理，《外書》四篇中，亦有數不清之「孟子曰」，顯非孟子所自著。

2 〈孝經第三〉云

> 昔者聖人之門……伯贑以智。

按：《論語》二十篇，子貢共出現四十四次，並無作「伯贑」者。《孟子》七篇中，子貢共出現七次：

> 〈公孫丑上〉：
> 宰我、子貢善為說辭。
> 昔者子貢問於孔子曰。
> 子貢曰。（二次）
> 宰我、子貢、有若，智足以知聖人。
> 〈滕文公上〉：
> 入揖於子貢。
> 子貢反。

亦皆無作「伯贑」者。此以「伯贑」稱之，蓋作偽者故意炫奇，以惑世人耳。

---

87 屈萬里：〈孟子七篇的編者和孟子外書的真偽問題〉，《孔孟學報》第7期（1964年4月）。

3 〈孝經〉第三云

> 孟子三見齊宣王而不言事。丑子曰：「夫子何以三見齊王而不言？」高氏誘曰：「丑子即公孫丑。《世本》云：「齊末公子公子朝之子，字子景，以字為氏，亦曰景丑。」

按：孟子篇中「公孫丑」三字，共出現十七次：

篇名 ╲ 出現方式	公孫丑問曰	公孫丑曰	公孫丑篇	合計
梁惠王	0	0	0	0
公孫丑	2	1	2	5
滕文公	1	0	0	1
離婁	0	1	0	1
萬章	0	0	0	0
告子	1	1	0	2
盡心	2	6	0	8
合計	6	9	2	17

十七次中，並無作「丑子」者。可知「公孫丑」絕不作「丑子」；此所以作「丑子」，是作偽者故弄玄虛耳。故翟灝云：「又稱公孫丑曰丑子，竝注云：『丑字子景，以字為氏，亦曰景丑』，於他籍悉無可徵，特有意眩亂，以欺不學之人。宋以前無此習，偽跡之可驗七也。」[88]

88　《四書考異》〈總考〉十九，〈孟子外書〉節。

4 晁公武云

> 今考其書（指《孟子》七篇）載孟子所見諸侯皆稱謚，如齊宣王、梁惠王、梁襄王、滕定公、魯平公是也。夫死然後有謚；軻無恙時所見諸侯，不應即稱謚。[89]

據錢穆先生考證，孟子約卒於周赧王三年（B.C. 312）後[90]，則魯平公卒於赧王十二年（B.C. 303），齊宣王卒於赧王十四年（B.C. 301），梁襄王卒於赧王十九年（B.C. 296），孟子去世已久，何能知其謚號。今《外書》四篇有魯平公、齊宣王、梁襄王等三王之謚號，其非孟子所著亦已明矣。

（五）就其記事訛誤辨之

1 〈性善辨第一〉云

> 孫卿子自楚至齊，見孟子而論性。荀卿，名況，楚人，避漢諱，易荀為孫。見，奚遍反。荀子曰：「有善無惡，天也，有善有惡，人也。」孟子曰：「率天下之人而迷性本者，必自此始矣。」

翟灝云：「荀況為孟仲子再傳弟子，後孟子約五、六十年，齊襄王時自趙至齊，與孟子不相值，後自齊適楚為卿，此乃云孫卿子自楚至齊見孟子。」[91]按：翟氏據《史記》荀卿五十始游齊立說，故云孟、荀

89 《郡齋讀書志》，卷10，頁4。

90 見《孟子研究》中之〈年譜〉，與《先秦諸子繫年》考辨六十三〈孟子生年考〉。

91 《四書考異》〈總考〉十九，〈孟子外書〉節。

時代兩不相值。然又有據《風俗通》荀卿即十五始游學於齊者[92]，則兩人之時代可相及矣。姑不論十五或五十游齊，此云「孫卿子自楚至齊，見孟子而論性」，考荀卿於周赧王二十九年（B.C. 286）左右由齊至楚[93]，曾為蘭陵令。[94]周赧王三十七年（B.C. 278）始返齊，為稷下老師。[95]此時孟子已卒三十餘年，何能相見論性？又《史記》云：「荀卿，趙人」[96]，古今皆無異說，而此竟云「楚人」，不知何據？

2 〈性善辨第一〉云

> 曼丘不擇問於孟子曰：「夫子焉學？」孟子曰：「魯有聖人曰孔子，曾子學於孔子，子思學於曾子。子思，孔子之孫，伯魚之子也。子思之子曰子上，軻嘗學焉，是以得聖人之傳也。」

〈文說第二〉又有「孟子問於子上曰」、「子上謂孟子曰」兩章。翟灝云：「趙氏但不為《外書》章句，非不見《外書》也。趙云：『孟子師子思』，此謂學於子上，孟子嘗自言之。……偽跡之可驗者三也。」[97]按：子上卒於周安王十九年（B.C. 383），年四十七。此時孟子恐未出生，容或已生[98]，亦僅牙牙學語，何能師事之？

92　《風俗通》，卷7，〈窮通篇〉，頁3。錢穆《先秦諸子繫年》採此說。

93　《先秦諸子繫年》考辨一三六〈荀卿自齊適楚考〉云：「荀卿諸人之去（齊），當在湣王十五、十六年間。」即周赧王二十九年（西元前二八六年）左右。

94　《先秦諸子繫年》考辨一四○〈春申君封荀卿為蘭陵令辨〉。

95　《先秦諸子繫年》考辨一四○〈春申君封荀卿為蘭陵令辨〉。

96　《史記》，卷74，〈孟荀列傳〉。

97　《四書考異》〈總考〉十九，〈孟子外書〉節。

98　《先秦諸子繫年》考辨六十三〈孟子生年考〉：「孟子生年最早當在安王之十三年（B.C. 389），最晚當在安王二十年（B.C. 382）。」

3 〈性善辨第一〉云

> 孟子曰：「舜生於姚墟……文王生於台疆。」

按：今《孟子》七篇中，孟子曾云：「舜生於諸馮……文王生於岐周。」[99]果同為孟子之言，不應差異如此。

4 〈性善辨第一〉云

> 孟子謂子石曰：「卵有毛，信乎？」子石曰：「信。」孟子曰：「何為其然也？」子石曰：「卵無毛，雞無翼。」孟子曰：「雞而烹，人可食，然則子腹亦有雞與？」

按：《史記》〈仲尼弟子列傳〉：「公孫龍字子石，少孔子五十三年。」《索隱》云：「鄭玄云楚人，《家語》衛人。然莊子所云堅白之談，則其人也。」[100]又〈孟荀列傳〉：「而趙亦有公孫龍為堅白同異之辨。」《索隱》：「按：即仲尼弟子名也，此云趙人，〈弟子傳〉作衛人，鄭玄云楚人弟子，各不能知其真也。」[101]《史記》云「而趙亦有」，可知司馬遷並不以孔子之公孫龍，與為堅白同異之公孫龍為同一人，而司馬貞《索隱》，不加考察，竟誤合之。翟灝云：「字子石之公孫龍，孔子弟子，孟子不及見之。其持堅白異同公孫龍，字曰子秉，乃平原君門客，不及見孟子，此乃云孟子以卵有毛問子石……偽跡可驗者八也。」[102]錢穆先生云：「以〈孔子弟子列傳〉公孫龍字子石，比附於

99 《孟子》〈離婁篇下〉。
100 《史記》，卷67。
101 《史記》，卷74。
102 《四書考異》〈總考〉十九，〈孟子外書〉節。

名家之公孫龍，其為淺人偽作之跡尤顯。」[103]

5 〈孝經第三〉云

> 鄒衍請受業於孟子。孟子曰：「吾老矣！不能偕子遊於九州之外矣。」

按：據錢穆先生考證，鄒衍約生於齊宣王晚年（周赧王十四年，B.C. 301）[104]，此時孟子已卒近十年，鄒衍何能師事之？故錢氏云：「余考兩人年世不相及，此必誤。」[105]

6 〈為政第四〉云

> 孟子曰：「人謂孟嘗君好士，吾不信也。」

翟灝曰：「田嬰於齊湣王三年封薛，嬰卒，文代立，是為孟嘗君，其立當在孟子卒後，……此謂孟子論孟嘗君，……偽跡之可驗者八也。」[106]按：田嬰封薛，當在齊威王三十六年（周顯王四十七年，B.C. 322）[107]，翟氏云齊湣王三年，當是據《史記》〈年表〉而誤。[108]田文代父而立，亦不在孟子卒後。然據錢穆先生考證，孟嘗君好士之年，當在周赧王十六年（B.C. 299）入相秦之前後。[109]此時孟子已卒十餘年，何能論其好士乎？

---

103 《先秦諸子繫年》考辨一〇三〈荀卿年十五之齊考〉。
104 《先秦諸子繫年》考辨一四四〈鄒衍考〉。
105 《先秦諸子繫年》考辨一四四〈鄒衍考〉。
106 《四書考異》〈總考〉十九，〈孟子外書〉節。
107 《先秦諸子繫年》考辨一〇九〈靖郭君相齊威宣王與湣王不同時辨〉。
108 《史記》，卷15，〈六國年表第三〉，頁30。
109 《先秦諸子繫年》考辨一五五〈魯仲連考〉。

7 〈為政第四〉云

> 孟子老於騶，燕昭王使樂間迎之，孟子不往，或問曰：「夫子何以不往？」孟子曰：「以吾受齊王之知，是以不往也；且燕王霸才也，亦非王天下之主也。」

翟灝曰：「樂間於燕惠王元年始用燕，乃周赧王四十四年，時孟子卒已久，此謂燕使樂間迎孟子，……偽跡之可驗者八也。」[110]林春溥云：「樂間，樂毅之子，其為昌國公，雖在燕惠王元年，安知不見用於昭王之世？」[111]林氏更以孟子舊譜孟子卒於周赧王二十六年，謂樂間及見孟子。按：孟子卒年，錢穆先生《孟子研究》與《先秦諸子繫年》[112]皆已辨之，云孟子當卒於周赧王三年（B.C. 312）稍後，則樂間即使見用於燕昭王之世（燕昭王元年為B.C. 310），亦不及見孟子矣。

（六）就其用後世通行名詞、習語辨之

1 〈性善辨第一〉云

> 黃河之濤，衝擊如雷，而聾者莫之聞也。

按：據屈翼鵬師之考證，先秦典籍中，「河」字約出現四百次左右，俱作專名解，即指今之「黃河」。[113]其出現於《孟子》七篇者，有下列數處：

---

110 《四書考異》〈總考〉十九，〈孟子外書〉節。
111 《孟子外書補證》，頁16。
112 《先秦諸子繫年》考辨六十三〈孟子生年考〉。
113 屈萬里：〈河字意義的演變〉，《書傭論學集》，頁268。

〈梁惠王上〉：河內凶，則移其民於河東，移其粟於河內；河東兇，亦然。

〈公孫丑上〉：泰山之於丘垤，河海之於行潦，類也。

〈滕文公上〉：禹疏九河。

〈滕文公下〉：水由地中行，江、淮、河、漢是也。

〈萬章上〉：舜避堯之子於南河之南。

〈告子下〉：淳于髡曰：「昔者王豹處於淇，而河西善謳。……」

〈盡心上〉：若決江、河，沛然莫之能禦也。

諸「河」字，俱指「黃河」，而不作「黃河」。「黃河」二字連用，最早見於東漢初馬第伯〈封禪儀記〉，云：「黃河去泰山二百餘里，於祠所瞻黃河如帶，若在山址。」[114]至東漢末年，「河」字變為通名[115]，「黃河」二字始廣為流行。今《外書》有「黃河」二字，其非西漢前之作，亦已明矣。

2 〈文說第二〉云

子上謂孟子曰：「舜之誥禹曰：『人心惟危，道心惟微；惟精惟一，允執厥中。』子其識之。」

按：此十六字初見於偽古文《尚書》〈大禹謨〉篇。「人心惟危，道心惟微」二語，襲自《荀子》〈解蔽篇〉；「允執厥中」襲自《論語》。另杜撰「惟精惟一」，合成十六字。此十六字，至真西山《大學衍義》始加以表彰，云：

---

114 〔清〕嚴可均：《全後漢文》，卷29，馬第伯〈封禪儀記〉，頁2。

115 屈萬里：〈河字意義的演變〉，《書傭論學集》，頁268。

按「人心惟危」以下十六字，乃堯、舜、禹傳授心法，萬世聖學之淵源，人主欲學堯、舜，亦學此而已矣！[116]

是以屈翼鵬師云：「這不但證明了姚本的《孟子外書》，其著成時代，當在偽古文《尚書》盛行以後；而且，可以知道它一定在真西山的《大學衍義》盛行了以後。因為自真西山把『人心惟危，……』，定為『十六字心傳』之後，大家才特別重視這十六個字，認為是『聖學之淵』。姚本《孟子外書》，特別把這十六字提出來，可見此本的作者，是受了《大學衍義》的影響。」[117]

（七）就其沿襲後人之誤辨之

1 〈性善辨第一〉云

孟子曰：「吾於河廣，知德之至也。」

翟灝云：「《鹽鐵論》引孔子曰：『吾於河廣，知德之至也。』明李詡誤以孔字為孟，類舉為《孟子》逸文。而此遂捃入篇中。則此書更出李詡後矣。」按：李詡所引，見其所著《戒菴漫筆》[118]，其書初刻於明萬曆二十五年（1597）。另周應賓於萬曆中所輯之《逸孟子》，此句亦誤作「孟子曰」。[119] 則《外書》之乍，必在李、周二氏之後矣。

---

116 《大學衍義》，卷2，頁2。

117 屈萬里：〈孟子七篇的編者和孟子外書的真偽問題〉，《孔孟學報》第7期（1964年4月）。

118 《戒菴老人漫筆》，卷2，頁37。

119 〔明〕周應賓：《九經逸語》，附於《九經考異》，頁3。

2 〈文說第二〉云

> 蝱鼃隱於萊（丁氏公著云：蝱，古砥字），孟子使人問之以書，且遺之粟曰：「介士也」。

按：焦循《孟子正義》云：「楊桓《六書統》引《石經孟子》作蝱鼃。」[120]周廣業〈孟子逸文考〉云：「此《石經》當是蜀中所刻，《說文》砥字重文有三，其籀文从氐从蚰，疑蝱為蝨之譌。」[121]今查《說文解字》，砥之重文，僅蝨、䗪二字，並無作「蝱」者。「蝱」字初見於《蜀石經》，而元楊桓《六書統》引之，楊慎《古音駢字》亦加以收入。考《蜀石經》亡於南宋末年[122]，則作偽者必襲自《六書統》或《古音駢字》，藉以炫奇託古，不知古代本無此字也。知此，則熙時子注所引丁公著說，亦作偽者所假託也。

3 〈孝經第三〉云

> 孟子曰：「古莫善於莇，莇者殷法，雖周亦莇也。」

按：《孟子》〈滕文公上〉：「夏后氏五十而貢，殷人七十而助。周人百畝而徹，其實皆十一也。」鄭玄〈考工記注〉作「殷人七十而莇」。[123]而此竟據鄭氏之注，推演成文，其偽亦可知矣。

---

120 〔清〕焦循：《孟子正義》，〈公孫丑篇下〉，頁133。

121 《孟子四考》二，〈孟子異本考〉，頁14。

122 錢大昕云：「南宋時《蜀石經》完好無恙，曾宏父、趙希弁輩述之甚詳，而明儒者絕無一言及之，殆亡於嘉熙、淳祐以後。」見〔清〕錢大昕：《潛研堂金石文跋尾》，卷11，〈後蜀石經左傳殘字〉條。

123 《周禮》，卷42。

（八）就其抄襲他書辨之

《外書》四篇之章節，其為作偽者所杜撰，人物事蹟自相矛盾，固難以採信。此外章節泰半襲自他書，或將原句略為竄改，或略加增飾，然皆難掩其抄襲之跡。

1 襲自《左傳》、《荀子》者

（1）〈文說第一〉云

孟子曰：「太上有立德，其次有立功，其次有立言。此之謂三不朽。」

案：此襲自襄公二十四年《左傳》。原文無「孟子曰」三字。

（2）〈性善辨第一〉云

今人之性不善，皆失喪其性，故也。

案：此襲自《荀子》〈性惡篇〉，原作「孟子曰：今人之性善，將皆失喪其性，故也。」

（3）〈孝經第三〉云

孟子曰：我先攻其邪心。

案：此襲自《荀子》大略篇。

2 襲自《韓詩外傳》者

(1)〈性善辨第一〉云

孟子幼誦，其母方織，孟子輟乃復誦，母知其諠也。呼而問之曰：「何為輟？」對曰：「如有失復得。」母乃引刀斷其織，以此戒之，自後孟子不復諠矣。

案：此襲自《韓詩外傳》卷九，字句稍有出入。

(2)〈性善辨第一〉云

孟子妻獨居，踞。孟子入戶視之，白其母曰：「婦無禮，請去之。」母曰：「何也？」曰：「踞。」曰：「何以知之？」曰：「我親見之。」母曰：「乃汝無禮也！禮不云乎？將入門，言必聞；將上堂，聲必揚；將入戶，視必下。不掩不備。今汝往燕私之室，入戶不有聲，令人踞而視之，是汝之無禮也，非婦無禮也。」孟子自責，不敢去婦。

案：此襲自《韓詩外傳》卷九，字句稍有出入。

(3)〈孝經第三〉云

孟子說齊宣王而不說，淳于髡侍，孟子曰：「今日說公之君，公之君不說，意者未知善之為乎？」淳于髡曰：「夫子亦誠無善耳，昔者瓠巴鼓瑟而潛魚出聽，伯牙鼓琴而六馬仰秣。魚馬猶知善之為善，而況君人者也！」孟子曰：「夫雷電之起也，破竹析木，震驚天下而不能使聾者卒有聞；日月之明，徧照天下而不能使盲者卒有見，今公之君若此也。」淳于髡曰：「不然，昔者揖封生高商而齊人好歌，杞梁之妻悲哭而莒人稱詠。夫聲無細而不聞，行無隱而不形。夫子苟賢，居魯而魯國之削，何也？」孟子曰：「不用賢，削何有也？吞舟之魚，不居潛澤；度量之士，不居汙世。夫蓺，冬至必彫，吾亦時矣！《詩》曰：『不自我先，不自我後。』非遭彫世者歟！」

案：此襲自《韓詩外傳》卷六，原文無「《詩》曰：不自我先，不自我後。非遭彫世者歟！」三句。

(4)〈為正第四〉云

高子問於孟子曰：「夫嫁者非己所自親也。衛女何以得編於《詩》也？」孟子曰：「有衛女之志則可，無衛女之志則外。夫道二，常謂之經，變謂之權。懷其常道而挾其變，乃得為賢。夫衛女行中孝，慮中聖，權如之何？」

案：此襲自《韓詩外傳》卷二，字句稍有出入。

3 襲自《列女傳》、《說苑》者

(1)〈性善辨第一〉云

孟子三歲而孤，孟母賢，攜孟子以居。始舍近墓，孟子幼嬉戲為墓間事，踴躍築埋。孟母曰：「此非所以居我子也。」乃去。舍市，又嬉戲為賈衒事。孟母曰：「此亦非所以居我子也。」徙學旁，乃設俎豆，揖讓退進。孟母曰：「此真可以居我子矣。」

案：此襲自《列女傳》卷一「鄒孟軻母」條。字句稍有增刪。

(2)〈性善辨第一〉云

> 孟子處齊為客卿，居常有憂色，擁楹而歎。孟母見曰：「子擁楹而歎，若有憂色，何也？」對曰：「軻聞之，君子稱身而正位，不為苟得而受賞，不貪榮祿，今道不用於齊，願行。而母老，是以憂也。」孟母曰：「婦人之禮，精五飯，冪酒漿，縫衣裳而已。故有閫內之修，而無境外之志。《易》曰：『无攸遂，在中饋。』《詩》曰：『無非無儀，惟酒食是議。』以言婦人無擅制之義，而有三從之道也。故幼則從乎父母，嫁則從乎夫，夫死則從子，禮也。今子成人也，而我老矣，子行乎子義，吾行乎吾禮，子何憂也？」

案：此襲自《列女傳》卷一「鄒孟軻母」條。字句稍有增刪。

(3)〈性善辨第一〉云

> 孟子曰：「人皆知以食愈飢，莫知以學愈愚；人皆知糞其田，莫知糞其心。糞田莫過利苗得粟，糞心易行而得所欲。何謂糞心？博學多聞。何謂易行？一性止淫也。」

案：此襲自《說苑》卷三〈建本篇〉。

4 襲自《鹽鐵論》者

(1)〈性善辨第一〉云

> 孟子曰：「筦敬仲仁，故齊威公亦仁，筦敬仲義，故齊威公亦義。吾於河廣，知德之至也。」

案：「吾於河廣，知德之至也」引自《鹽鐵論》卷七〈執務〉章。原為孔子語，《鹽鐵論》誤引，作偽者竟襲之。說已見前。

(2)〈為正第四〉云

堯、舜之道非遠人也，人不自思之爾。

案：此襲自《鹽鐵論》卷七〈執務〉章，原文作「堯、舜之道非遠人也，而人不思之耳。」

5 襲自《風俗通》者

(1)〈性善辨第一〉云

孟子曰：「性善也，堯、舜不勝其美；習不善也，桀、紂不勝其惡。」

案：此襲自《風俗通》〈正失篇〉。原文作「孟軻曰……。」

(2)〈孝經第三〉云

孟子曰：「傳言失指，圖景失形。」

案：此襲自《風俗通》〈正失篇〉。

6 襲自鄭玄經注者

(1)〈孝經第三〉云

孟子曰：「天下有道，諸侯有王。……」

案：此襲自《周禮》卷三十七〈大行人〉鄭《注》所引「孟子曰：諸侯有王。」

（2）〈孝經第三〉云

孟子曰：「舜生五十而不失其孺子之心。」

案：此襲自《禮記》第三十〈坊記〉鄭《注》所引之文。

7 襲自《文選》注者

（1）〈性善辨第一〉云

孟子曰：「泰山之高，參天入雲。」

按：此襲自《文選》卷十六江淹〈別賦〉注。

（2）〈孝經第三〉云

孟子曰：「有遠慮者無遺策，無深謀者有敗機。」

按：此略本《文選》卷五十六曹植〈王仲宣誄〉注：「孟子曰：計及下者無遺策。」及《鹽鐵論》卷五〈刺議〉章：「故謀及下者無失策，舉及眾者無頓功。」以成文。

8 襲自唐人類書及傳注者

（1）〈文說第二〉云

孟子曰：「戰，危事也。」

按：此襲自虞世南《北堂書鈔》卷一百十八〈攻戰十一〉所引《孟子》，原文作「戰者，危事也。」

(2)〈文說第二〉云

孟子曰：「滕文公卒，葬有日矣。天大雨雪，及牛目。群臣請弛期，太子不許，惠子諫曰：「昔者王季葬渦山之尾，欒水齧其墓，見棺之前和。文王曰：『先君欲見群臣百姓矣』，乃出為帳，三日後葬。今先公欲小留而撫社稷，故使雪甚，弛期而更為，曰：『此文王之志也。』」孟子曰：「禮也。」

按：此襲自歐陽詢《藝文類聚》卷二〈天部下〉「雪」節。原文無「孟子曰：禮也」五字。其他字句，亦略有出入。

(3)〈孝經第三〉云

孟子曰：「敬老愛幼，推心於民，天下如運掌中也。」

案：此襲自馬總《意林》卷一「《孟子》十四卷」條。原文作「敬老愛幼，推心于民，天下運掌中也。」

(4)〈孝經第三〉云

孟子曰：「矯枉不可過直。」

案：此襲自《後漢書》卷二十二〈朱景王杜劉傅堅馬列傳〉注。原文作「孟子曰：矯枉者過其正。」

四　今本《孟子外書》之作者

據前所辨，今本《外書》四篇之偽，已證據鑿鑿。不但非班固、趙岐所見之本，亦非孫奕之前輩或劉昌詩《蘆浦筆記》所云新喻謝氏之藏本。此書乃「雜採他書引《孟子》文，兼及其不云《孟子》者，綴輯敷衍」[124]而成。然則採輯成書者為何人？丁杰云：

> 姚叔祥好作偽書，此為叔祥所造無疑。[125]

屈翼鵬師亦云：

> 由於（一）今本的最早傳佈者是姚士粦；（二）它已承襲了李詡的錯誤；（三）它已承襲了所謂十六字心傳的學說。有這三個證據，則今本《孟子外書》，是出於姚士粦偽託，應該是沒有什麼疑問了。[126]

士粦有好書癖，見書有缺脫，輒加以綴輯補訂，其所輯之書甚多。[127]則此書為士粦根據類書傳注敷衍而成，殆無可疑。此書既受明李詡與周應賓之影響，又不收於《秘冊彙函》，則其成書年代，必在明萬曆末年以後矣。

---

124 〔清〕丁杰：《孟子外書疏證》，引自〔清〕林春溥：《孟子外書補證》，頁12。

125 〔清〕丁杰：《孟子外書疏證》，引自〔清〕林春溥：《孟子外書補證》，頁12。

126 屈萬里：〈孟子七篇的編者和孟子外書的真偽問題〉，《孔孟學報》第7期（1964年4月）。

127 見本章第二節。

此書既作於明末，則所謂馬廷鸞序、熨淵題記、熙時子注之為偽託，不待辨而知其偽矣。

五　孟經國偽本《孟子外書》

《續修四庫提要》「《孟子外書》一卷《逸文》一卷」提要云：

> 題裔孫經國輯，是書第四篇〈為正〉，較他本多八章，他篇亦間有異文，錄熙時子注，而不為標明，又或刪之，不言所據何本。……《逸文》則經國所輯，凡五十九條，搜采甚博，間附案語，……書刊於道光十一年，為《閒道集》之二種。」[128]

又林春溥《孟子外書補證》云：

> 經國為孟子七十數世孫，與余善，嘗輯《閒道集》，首《外書》四篇，校之姚本，〈為正〉多其九章，大抵皆旁見他書，其餘字句增減，間有不同，注則更略。」[129]

據此，可知孟經國《閒道集》之《孟子外書》，與姚士粦偽本，有下列數點不同：

一、第四篇〈為正〉多九章。（按：《續修四庫提要》云「八章」，誤。）

二、他篇之字句間有不同。

三、錄熙時子注，但不為標明，又或刪之。

---

128 《續修四庫提要》，〈經部〉，頁1232。

129 《孟子外書補證》，第四，〈為正〉末。

孟經國《閒道集》本，何以不同於姚本？林春溥曾詢經國該書之來歷，經國答書云：

> 蒙詢《孟子外書》來歷，其說甚長。經國先於嘉慶甲戌至庚辰，就聘申陽觀察署，解館後，積誠赴梁苑，謁先亞聖於遊梁祠，會遇老人，詢與經國同姓，籍隸祥符，年登大耋有奇，而無子嗣，隻身居於祠右。半椽促膝，短褐不完。……即與席地而談古今，詢及先亞聖《外書》一節，曰：「遺稿存於吾家者二十餘世矣！」經國乞借敬閱，老人乃拆開臥枕，取有破損油紙一包，內有綢絹十數層捲裹，得《外書》一本付閱。謂：「從前閻中丞興邦撫豫，曾以重價來購。先祖公云：『此非真買主』。欲留後人發刻。迄傳於吾，茲且二餔不給，遑能繼先人志乎？」彼時經國尚餘傭值八十餘金，即回寓取出。傾囊而贈。……方擬是晚借居其室手鈔。老人曰：「嘻！爾得非真買主乎？姑持去。吾待識者十年於茲矣，今爾為亞聖裔，吾亦為亞聖裔，爾能表章，與吾表章何異？惟能不沒亞聖手澤幸矣。」當時經國又問此本何時所獲，曰：「北宋時祖公由鄒挾而遷汴者。」……所呈鈔本乃經國所書，校對更審，竝未錯訛隻字．其傳至何代，老人亦未盡悉也。[130]

所述得書經過，甚為神奇，似為經國所捏造。經國所以編造此段故事，蓋有意掩飾其作偽之跡。

其偽本，乃就姚本加以竄亂，將第四篇〈為正〉八章以下所闕者，據他書所引補入九章，其他各篇之文句亦稍加增減，並剽竊偽熙

130 《孟子外書補證》，第四，〈為正〉末。

時子注，稍加刪略，然後抄校再三，輯入《閒道集》中也。

經國偽本第四篇〈為正〉所多之九章，今據林春溥《孟子外書補證》所引，錄之如下：

（一）孟子曰：「夫有意而不至者，有之矣，未有無意而至者也。」（按：採自揚雄《法言》）

（二）秦攻梁，惠王謂孟子曰：「秦攻梁，何以禦乎？」對曰：「昔太王居邠，狄人攻之，太王不欲傷其民，乃去邠之岐，今王奚不去梁乎？」惠王不說。（按：採自劉晝《新論》）

（三）孟子曰：「有道吾善者是吾賊也，道吾惡者是吾師也。」（按：採自馬驌《繹史》述《文選》註）

（四）孟子曰：「今人之於爵祿，得之若其生，失之若其死。」（按：採自《梁書》〈處士傳序〉）

（五）孟子曰：「紂貴為天子，而死曾不若匹夫，是紂先自絕久矣，非死之日，天去之也。」（按：採自《漢書》〈伍被傳〉）

（六）孟子曰：「今之士大夫，皆罪人也，逢君意以順其惡。」（按：採自《鹽鐵論》）

（七）魯平公與齊宣王會於梟繹，樂正克道孟子於平公曰：「孟子私淑仲尼，其德輔世長民，其道發政施仁，君何為不見乎？」（按：採自《廣文選》）

（八）孟子曰：「以直矯枉，若以曲，何以正人。」（按：採自馬總《意林》）

（九）孟子謂齊宣王曰：「王無好知，無好勇，勇知之過，禍患所遵，當以仁義為本。」（案：採自《弘明集》文宣王子良〈與中丞孔稚圭釋惑書〉）

第五節　《於陵子》考辨

一　陳仲事蹟

陳仲，或作田仲[131]，居於陵，又作於陵子仲、於陵子終。[132]戰國齊人。事蹟多見先秦及漢人著作。《孟子》〈滕文公篇下〉云：

> 匡章曰：「陳仲子豈不誠廉士哉，居於陵，三日不食，耳無聞，目無見也。井上有李，螬食實者過半矣，匍匐往將食之，三咽，然後耳有聞，目有見。」孟子曰：「於齊國之士，吾必以仲子為巨擘焉。雖然，仲子惡能廉，充仲子之操，則蚓而後可者也。夫蚓上食槁壤，下飲黃泉，仲子所居之室，伯夷之所築與？抑亦盜跖之所築與？所食之粟，伯夷之所樹與？抑亦盜跖之所樹與？是未可知也。」曰：「是何傷哉！彼身織屨，妻辟纑，以易之也。」曰：「仲子，齊之世家也，兄戴，蓋祿萬鍾，以兄之祿為不義之祿，而不食也；以兄之室為不義之室，而不居也。避兄離母，處於於陵。他日歸，則有饋其兄生鵝者，己頻顣曰：『惡用是鶂鶂者為哉。』他日，其母殺是鵝也，與之食之。其兄自外至，曰：『是鶂鶂之肉也。』出而哇之。以母則不食，以妻則食之；以兄之室則弗居，以於陵則居之。是尚為能充其類也乎？若仲子者，蚓而後充其操者也。」

131 《荀子》卷2〈不苟篇〉、《韓非子》卷11〈外儲說左上〉，皆作田仲。按古田、陳同聲通用。

132 《戰國策》卷11〈齊策四〉作「於陵子仲」，劉向《列女傳》卷2「楚於陵妻」條作「於陵子終」。

陳仲刻意孤高之行，雖受知於匡章，孟子則譏為「無親戚君臣下上」[133]，荀子譏其欺世盜名，行不如盜[134]，韓非子則以堅瓠無用為喻。[135]足見陳仲之不見容於當時。且有欲置之於死者，《戰國策》云：

> 趙威后問於齊使曰：「於陵子仲尚存乎？是其為人也，上不臣於王，下不治於家，中不索交諸侯，此率民而出於無用者，何以至今不殺乎？」[136]

蓋陳仲之言行，不合專制政治，故趙威后欲殺之。陳仲既不合當世，卒飢餓以卒。[137]

上為諸子書所載陳仲之言行。司馬遷《史記》載陳仲事蹟又加詳焉。〈鄒陽列傳〉陽〈獄中上書〉云：

> 於陵子仲辭三公，為人灌園。[138]

鄒陽不云陳仲為何人灌園。至劉向則詳其事之始末，《列女傳》云：

> 楚王聞於陵子終賢，欲以為相，使使者持金百鎰，往聘迎之。於陵子終曰：「僕有箕箒之妾，請入與計之。」即入謂其妻曰：「楚王欲以我為相，遣使者持金來，今日為相，明日結駟連騎，食方丈於前，可乎？」妻曰：「夫子織屨以為食，非與物

133 《孟子》卷2〈盡心篇上〉。
134 《荀子》〈不苟篇〉與卷3〈非十二子篇〉。
135 《韓非子》，卷11，〈外儲說左上〉。
136 《戰國策》，卷11，〈齊策四〉，頁4。
137 《淮南子》，卷13，〈氾論訓〉。
138 《史記》，卷83，頁13。

> 無治也。左琴右書，樂亦在其中矣。夫結駟連騎，所安不過容膝，食方丈於前，所甘不過一肉，今以容膝之安，一肉之味，而懷楚國之憂，其可乎？亂世多害，妾恐先生之不保命也。」於是子終出謝使者而不許也。遂相與逃，而為人灌園。[139]

至晉皇甫謐，綜合前人之說，撰為〈陳仲子傳〉。[140]陳仲之事蹟，歷一千餘年始為完篇。此即屈翼鵬師所謂之「史事增飾」法[141]，而所增飾之史事，率不足採信。按《孟子》〈滕文公篇下〉云：

> （仲子）避兄離母，處於於陵。他日歸，則有饋其兄生鵝者，……他日，其母殺是鵝也，與之食之。

可知陳仲所居之於陵，去其母所居不遠。若於陵為楚地，則齊、楚兩國，一北一南，懸隔數千里，仲子必不能頻頻歸省其母也。閻若璩云：「顧野王《輿地志》：『齊城有長白山，陳仲子夫妻所隱處。』……唐張說〈石泉驛〉詩題下自注『於陵仲子宅，漢於陵故城。』章懷太子賢曰：『在今淄州長白縣南。』……計於陵仲子家離其母所居幾二百里。」[142]知陳仲所居之於陵，仍在齊境也。又趙威后問齊使：「於陵子仲尚存乎？」苟陳仲已適楚，則威后亦不得問齊使。可知陳仲適楚，乃劉向所增飾，非實有其事也。

---

139 《列女傳》，卷2，「楚於陵妻」條，頁10。

140 《高士傳》，卷中，〈陳仲子傳〉，頁5。

141 見屈萬里：〈傳述史料中常見之幾種現象——以關於先秦的史料為例〉，《沈剛伯先生八秩榮慶論文集》（臺北：聯經出版事業公司，1976年12月），頁75-84。

142 《四書釋地續》，頁29。

二　《於陵子》之出現及傳本

《於陵子》於明萬曆間出現，題「齊陳仲子撰」，收入《秘冊彙函》中。首載漢劉向〈敘錄〉，元鄧文原，明姚士粦、沈士龍、胡震亨〈題辭〉。

內容分〈畏人〉、〈貧居〉、〈辭祿〉、〈遺蓋〉、〈人問〉、〈先人〉、〈辨窮〉、〈大盜〉、〈夢葵〉、〈巷之人〉、〈未信〉、〈灌園〉等十二篇。多記陳仲出世之言行，行文雖似高古，實則淺鄙也。

其來歷，據鄧文原〈題辭〉云：

> 此前史〈藝文志〉及《崇文總目》所無，惟石廷尉熙明家藏有之。文原偶從道流獲此。而中缺十有六字，因急錄一過，藏之篋中，以當木難火浣。

石熙明，今無可考。文原既云石熙明家有之，又云得之道流，是熙明之書為道流所得歟？抑道流所持者，為另一本？文原之言，頗有可疑。又士粦〈題辭〉云：

> 余同縣王復元，初嘗為羽流，能書，尤長於鑒別古法書名畫，戊戌秋日，忽持行草一卷，示余曰：「此元學士鄧文原手書《於陵子》也。」余讀之殊喜，為留一宿，飛筦錄之，燭不知三四跋也。時開之馮先生，方謝大司成歸，性好異書，因別錄一編封寄。

王復元，江蘇長洲縣人，幼為黃冠，曾師事文徵明，後流寓海鹽。[143] 徵明卒於嘉靖三十八年（1559），至萬曆戊戌（二十六年，1598），復元是否尚健在，頗為可疑？或士粦假託得自復元，曾經其鑒定，以見重於世人也。士粦既抄錄寄與馮夢禎（開之），則此書之流傳，實始於士粦也。其傳本，今見於：

（一）明胡震亨、姚士粦輯《秘冊彙函》本

（二）明天啟間刊《諸家合評十二子》本

（三）明鄭子龍編《十二子》本

（四）清王纕堂輯《廿二子全書》本

（五）清崇文書局輯《百子全書》本

（六）《叢書集成初編》、《簡編》本（據《秘冊彙函》本影印）

未見者有：

（一）民國五鳳樓主人輯《子書四十八種》本[144]

（二）民國尹桐陽注本[145]

三　《於陵子》辨偽

《於陵子》，姚際恆《古今偽書考》及《四庫提要》等，已言其偽，然並無確鑿之證據。民國以來補訂姚書者有兩家[146]，辨諸子書之

143 《無聲詩史》，卷6，〈王復元小傳〉，頁22。

144 《叢書總目類編》，〈子類・諸子〉，頁698。

145 《中央研究院歷史語言研究所普通本線裝書目》，頁133。

146 顧實：《重考古今偽書考》，與黃雲眉：《古今偽書考補證》。

偽者亦多[147]，然皆不及《於陵子》。故今人雖知該書為偽，多不知何以偽也。今以己意所得，詳辨之。

(一) 從舊志不著錄辨之

劉向〈於陵子敘錄〉云：

> 臣所校中書《於陵子》十五篇，以校除雜亂三篇，著定十二篇殺青，書可繕寫。……

按：劉向校書中秘，每一書就，輒條其篇目，撮其旨意，辨其訛謬，錄而奏之，並集其敘錄別行，謂之《別錄》。向子歆，依《別錄》成《七略》，班固作《漢書》〈藝文志〉，又依《七略》以成書。今《別錄》、《七略》雖亡，〈漢志〉具在。苟劉向曾校《於陵子》，則〈漢志〉不容不錄。

又梁庾仲容《子鈔》、《隋書》〈經籍志〉、《舊唐書》〈經籍志〉《新唐書》〈藝文志〉、《崇文總目》、鄭樵《通志》、《宋史》〈藝文志〉、《文獻通考》〈經籍考〉，均不載。則元以前固無《於陵子》一書也。

今《於陵子》見於簿錄者，僅清錢謙益之《絳雲樓書目》[148]及錢曾之《述古堂書目》[149]，則《於陵子》為晚出之書，復何可疑哉！

(二) 從後人不徵引辨之

晉皇甫謐作《高士傳》，於每傳之末，皆詳其著書之數，如：

---

147 《諸子叢考》，收於《古史辨》第四冊。

148 〔清〕錢謙益：《絳雲樓書目》，卷3，偽書類。

149 〔清〕錢曾：《述古堂書目》，卷2，〈子類〉，頁38。

老子李耳：「作《道德經》五千餘言，為道家之宗。」[150]

老萊子：「著書十五篇，言道家之用，人莫知其所終也。」[151]

列禦寇：「著書八篇，言道家之意，號曰《列子》。」[152]

獨不云陳仲子有何著作。故石韞玉云：「按皇甫謐撰《高士傳》，凡莊子、列子、老萊子，皆詳其著書之數，而陳仲子無之，則晉時未嘗有此書。」[153]

又《於陵子》若為先秦之書，後代載籍必有所徵引。今考梁劉孝標《世說新語注》、唐李善《文選注》等引書數百種，《太平廣記》引書四百七十五種[154]，《太平御覽》所引多達一千六百九十種[155]，先秦子書徵引殆遍，皆無一語及之。其他類書，如《初學記》、《藝文類聚》、《冊府元龜》、《玉海》等，及私人文集、筆記，亦不及之，則此書之為晚出，又何可疑乎？

（三）就其記事訛誤辨之

1 〈辨窮篇〉云

於陵子居于於陵，接予使楚，過而聞之曰……

按：《論語》有楚狂接輿，其時代約與孔子相值。此故作「接予」。不知於陵子為戰國時人，與春秋時之接輿，時代本不相及。又接予本楚

150 《高士傳》，卷上，頁6。
151 《高士傳》，卷上，頁7。
152 《高士傳》，卷中，頁2。
153 《獨學廬全稿》，卷3，頁15。
154 〈太平廣記篇目及引書引得序〉。
155 〈太平御覽引得序〉。

人，此作「接予使楚」。果此書為陳仲所作，不應訛誤至此。

2 〈未信篇〉云

> 於陵子不食且三易旦，積雪拒門，突黴生烟。

徐渭云：「以《孟子》螬李言之，仲之三日不食，時屬夏，安得有積雪乎？」[156]苟陳仲自著書，不容以盛夏之事，屬之隆冬。

陳仲與楚國之關係，既為劉向所增飾，則此書〈未信〉與〈灌園篇〉所云陳仲辭楚相，為人灌園事，顯據劉向《列女傳》、皇甫謐《高士傳》推衍而成。否則，陳仲本不適楚，而有適楚之事，無乃乖異乎？

（四）就其襲用後世名詞辨之

1 〈人問篇〉云

> 于是有中州之蝸將起，而責其是非。

按：中州一詞，有二義。一指中國，如《史記》〈司馬相如傳〉：「有大人兮，在于中州。」[157]《列子》〈湯問〉：「從中州以東四十萬里，得僬僥國。」[158]柳宗元〈小石城山記〉：「又怪其不為之於中州，而列是夷狄。」[159]等皆是。一指河南之地，如桓溫〈平洛表薦謝高〉有「今中州既平，宜時綏定。」[160]前燕及北周時，均於河南置中州郡。

156 徐渭評《於陵子》第十一篇〈未信〉書眉。

157 《史記》，卷117，頁35。

158 《列子》，卷5，頁53。

159 《柳河東集》，卷29，頁317。

160 〔清〕嚴可均：《全晉文》，卷118，頁3。

金、元、明時，中州一詞甚為流行，書有《中州樂府》、《中州集》、《中州音韻》、《中州名賢文表》等。〈人問篇〉所云中州之蝸，「欲東之泰山，會程三千餘歲，欲南之江、漢，亦會程三千餘歲。」則其所在之地，為天下之中也，即河南之地。河南之稱中州，既在南北朝以後，此書有中州一詞，其非先秦之作，亦已明矣！

2 〈大盜篇〉云

有淵人亡珠于市，於陵子過之而疑焉，遂聽直于市長。

按：「市長」為漢官名，初見於《史記》〈太史公自序〉，云：「昌生無澤，無澤為漢市長。」[161]《漢書》〈司馬遷傳〉：「毋澤為漢市長。」[162]此書有「市長」一辭，其非先秦著作已甚明。

3 〈灌園篇〉云

寓神沖虛之表。

按：「沖虛」一語為魏、晉玄學風氣下之產物。《三國志》〈王粲傳〉：「沖虛德宇，未若徐幹之粹也。」[163]阮籍〈詠懷詩〉：「列仙停脩齡，養志在沖虛，飄飄雲白間，邈與世路殊。」[164]《文選》王儉〈褚淵碑文〉：「亮采王室，每懷沖虛之道。」[165]是知「沖虛」一詞，盛行於六朝時。嗣後，唐天寶間詔號列子為沖虛真人，其書為《沖虛真經》，宋更有號「沖虛居士」者。據此，此書不成於兩漢以前，亦可知矣。

161 《史記》，卷130，頁2。

162 《漢書》，卷62，頁3。

163 《三國志》〈魏書〉，卷21，〈王粲傳〉。

164 《全三國詩》，卷5，頁5。

165 《昭明文選》，卷58，頁15。

（五）就其抄襲他書辨之

1 襲自《列女傳》、《高士傳》者

〈未信篇〉云：

> 楚王使使持黃金百鎰，聘於陵子為相。於陵子辭而謝其使者，因入占其妻曰：「楚王且相我，今日匹夫，明日結駟連騎，食方丈于前，可乎？」妻曰：「前夫子不為齊大夫，後夫子不為楚相，此固妾厚信以生平也，事毋亦有非然者邪！妾謂夫子織屨以為食，非與物亡治也。左琴右書，非與事亡接也，飲水嘯歌，樂亦在其中矣，何辱于楚相哉！且結駟連騎，所安不過容膝，食方丈于前，所甘不過一肉，今以容膝之安，一肉之味，懷楚國之憂，可乎？妾恐亂世多害，不保夫子朝夕也。」於陵子笑曰：「子誠我妻也。業已卻之矣。」遂信其妻，相與逃去，辟楚之重命。

案：此段字句多襲自《列女傳》（卷二，頁十）「楚於陵妻」條，與《高士傳》（卷中，頁五）「陳仲子」條。

2 襲自《方言》者

《於陵子》多摭拾《方言》中齊、楚之語，以符陳仲之為楚人，茲舉例如下：

（1）〈人間篇〉云

> 昔者泰山與江、漢爭王，兩京不下。

按：《方言》卷一云：「京，大也。……凡人之大謂之奘，或謂之壯，燕之北鄙，齊、楚之郊，或曰京，或曰將，皆古今語也。」

（2）〈先人篇〉云

咸藐藐內譙其後人也。

按：《方言》卷七云：「譙，讓也。齊、楚、宋、衛、荊、陳之間曰譙。」

（3）〈先人篇〉云

震其甂，裂其緶。

按：《方言》卷五云：「甇，齊之東北海岱之間謂之甂。」

（4）〈大盜篇〉云

於陵子于是漂涕交臆，惄不苟言。

按：《方言》卷一云：「悼、惄、悴、憖，傷也。自關而東，汝、潁、陳、楚之間通語也。」

（5）〈巷之人篇〉云

矚而墳然者，小人之居也。

按二《方言》卷一云：「墳，地大也。青、幽之問，凡土而高且大者，謂之墳。」

(6)〈巷之人篇〉云

若擅而報，足我餬口者。

按：《方言》卷二云：「餬，寄也。齊、衛、宋、魯、陳、晉、汝、潁、荊、江、淮之間曰庇，或曰寓；寄食為餬。」

四　《於陵子》之作者

據前所辨證，《於陵子》一書既非陳仲所自著，亦非當時人所編述，其作於何時、何人，則頗多異說。石韞玉云：

其說大約摭拾漆園之旨，晉人尚清言，搢紳先生喜談黃、老，玄文秘籍，紛然雜出，茲篇之作，其在斯時乎？[166]

然晉以後之史志、類書及私人著述，概不著錄或引述，其非作於晉，實甚顯明。又譚廷獻《復堂日記》云：

閱《於陵子》十二篇，意者徐渭窮士失職以文為戲，託辭自娛，如南朝人陷北而有李陵〈答蘇武書〉也。學子雲奇字，訓詁未安，襲列陳言，捉襟肘見矣。逕題文長名，亦可以傳世，以為談助。[167]

因《於陵子》有徐渭評及其跋語，故譚氏疑為渭作。《四庫提要》以

166　《獨學廬全稿》，卷3，頁15。

167　〔清〕譚廷獻：《復堂日記》，卷4，頁25。

為跋語乃書賈偽託。[168]胡玉縉亦云：

> 譚廷獻《復堂日記》以為徐渭撰，蓋因徐評而肊斷之，無他據也。[169]

則此書之作者為何人？王士禎[170]及《四庫提要》皆以為姚士粦偽造。胡玉縉[171]及屈翼鵬師[172]等，亦皆主此說。蓋《於陵子》初見於胡震亨與姚士粦所編之《秘冊彙函》，又有士粦〈題辭〉，故疑為士粦所作也。

---

168 《四庫全書總目》，卷124，〈子部・雜家類・存目一〉，〈於陵子條〉，頁1。

169 《四庫提要補正》，卷39，〈雜家類存目〉，頁1027，〈於陵子條〉。

170 《居易錄》，卷6，頁4。

171 《四庫提要補正》，卷39，〈雜家類存目〉，頁1027，〈於陵子條〉。

172 《古籍導讀》，中篇，〈明板本與辨偽書〉，頁90。

第四章
豐、姚二氏偽書之影響

第一節　《石經大學》之影響

一　明人信從《石經大學》者

明代雖以朱子《大學章句》為定本，然文士師宋人之餘技，改定〈大學〉者，仍不乏其人。當士人苦於眾本之無所適從，一旦有所謂《石經》本出，恰如大旱之望雲霓，上至當朝鉅公，下至民間陋儒，翕然從之。其影響之鉅，幾與朱子本相埒。諸家闡釋《石經大學》之書，今多不傳。茲依他書徵引及書目資料，條舉其要者。

（一）鄭曉（1499-1566）

曉，字窒甫，號淡泉，浙江海鹽人，嘉靖二年（1523）進士，官至兵部尚書。

曉所著《古言》，率先表章《石經大學》，敘其章節次序及傳授源流甚詳。已具第二章第二節徵引。曉為當時鉅公，名重天下，《石經大學》經其鼓吹，信從者遂多。可謂豐氏之功臣也。

（二）王文祿（1503-1586）

文祿，字世廉，浙江海鹽人，嘉靖十年（1531）舉人。有《大學石經古本旁釋》、《申釋》各一卷。

文祿於嘉靖四十三年（1564）承坊錄示《石經大學》，後又得鄭曉《古言》相印證，遂益信之。著〈旁釋〉及〈申釋〉二篇以推演其義。其〈序引〉云：

> ……竊附〈旁釋〉，每一展誦，首尾貫徹，脈絡流通，體勢完全，反覆照應，朗然披豁，復見孔門真傳。不特理透，而文筆猶化工之變化，神奇哉！快哉至矣！何脩而躬逢之？諸大儒註，殫心也，曷不考求《正始石經》，豈南宋偏方，中原全經不及見乎！是可憾也。噫！憾昔而快今，尤幸之大云。[1]

又於〈申釋〉後云：

> 子思上承孔、顏、曾，而下啟孟子，一以貫之也。復原明明德成己，仁也；親民成物，知也；止至善，勇也。道學自脩，即尊德性，道問學也。首尾照應，經緯錯綜，與〈中庸〉一也。祖述堯、舜，憲章文、武，道統相承哉。設非《正和石經》之傳，後學曷知也？晦于唐、宋，發于我明，嘉靖中元甲子之歲，文運重光。猗歟，盛歟！後學無窮之幸也。[2]

以《石經大學》為「首尾貫徹，脈絡流通」，其出現為「文運重光」，如此推崇表章，直可譽為坊之第一知音矣！

（三）管志道（1536-1608）

志道，字登之，號東溟，婁江人，隆慶五年（1571）進士。有

1 《大學石經古本序引》，頁4。

2 《大學石經古本申釋》，頁2。

《石經大學測義》三卷、《石經大學略義》一卷、《石經大學附錄》一卷，為關於《石經大學》著述之最多者，三書今皆不傳。

志道曾云《石經大學》有八不可易。[3]時弟子瞿汝稷曾加以考辨，至為精核，其為偽造，已無可置疑。而志道倔強，與汝稷反覆辨難。錢一本譏為「所謂師不必賢於弟子」是也。

（四）唐伯元（1540-1598）

伯元，字仁卿，號曙臺，澄海人，萬曆二年（1574）進士。為人清苦淡泊，為嶺海士大夫表率。

萬曆十二年（1584）伯元得《石經大學》於安福舉人鄒德溥[4]，上言於朝，請頒行學官。其疏云：

> 《石經大學》，魏虞松受之賈逵，逵父徽與其師杜子春俱受業劉歆，當漢武時，《周禮》出屋巖閒，歸秘府，五家之儒皆不得見，至成帝朝，歆始表而出之，其後逵官中秘，又著《禮記傳義詁》及《論難》百餘萬言，為學者所宗，于時友人鄭眾與逵各俱有解，而馬融推逵獨精，故逵解獨行于世，眾解不行。[5]

伯元信坊所云賈逵傳《禮記》之說，又推本於劉歆。伯元因事與中貴忤，其疏遂不果行。伯元又信坊子思著〈大學〉、〈中庸〉之說，故於《醉經樓集解》中時時述及，如：

> 孔子作《春秋》，子思述〈大學〉、〈中庸〉，孟子距楊、墨，韓

3　〔明〕毛先舒：《匡林》，〔清〕翟灝：《四書考異》，〈總考〉，〈偽石經大學〉條引。

4　〔清〕毛奇齡：《大學證文》，卷2，頁2。

5　〔清〕毛奇齡：《大學證文》，卷2，頁2。

昌黎、程明道闢佛老，其經綸一也。[6]

又如：

表章〈大學〉，自韓退之始；表章〈中庸〉自徐偉良始；合〈大學〉、〈中庸〉為子思經緯之書，自賈逵始。元伯又為《石經大學》疏解，與管志道相唱和，其表章之力，又甚於王文祿矣。[7]

(五) 鄒元標（1551-1624）

元標，字爾瞻，吉水人，萬曆五年（1577）進士，有《大學就新編》一卷。新者，新出《石經》也。元標以「〈大學〉之功全在知止」[8]，故門下弟子問及〈大學〉應宗何本時，皆歸之「知止」，以能知止為可，否則，無一而可。門弟子問云：

問：格物之說不下數十種，《石經》以「物有本末」一條，置之「格物」之下，似謂格物者窮物之本也。窮物之本，則知所先後而致知矣！詞不費而意自明，往疑陽明先生未見此本，故費分疏。乃今見《石經》者，或駁其偽，不知何說也？請示其旨。[9]

元標答云：

6 〔清〕黃宗羲：《明儒學案》，卷42，〈甘泉學案六〉。

7 〔清〕黃宗羲：《明儒學案》，卷42，〈甘泉學案六〉。

8 《南皐鄒先生語義合編》〈講義〉，卷下，〈大學篇〉，頁12。

9 《南皐鄒先生語義合編》〈會語〉，卷下，頁1。

> 格物之說，古來多端，常有言，如人入都門，東西南北，皆有路頭可入，學者做得工夫片段到知止地步，實與先聖家風不殊，《石》本可也，朱子可也，不必拘拘然較同說異。[10]

凡此兩可之論甚多，均見於《南臯鄒先生語義合編》中。元標於《石經大學》雖不明斷真偽，其弟子則信之有加。

（六）劉宗周（1578-1645）

宗周，號念臺，晚更號克念子，浙江山陰人，萬曆二十九年（1601）進士，事蹟具《明史》本傳。有《大學古文參疑》一卷。自序云：

> 近世又傳有曹魏《石經》與古本更異。而文理益覺完整，以決格致之未嘗缺傳，彰彰矣。余初得之，酷愛其書，近見海鹽吳秋圃著《大學通考》輒辨以為贗鼎。余謂言而是，雖或出於後人也，何病！況其足為古文羽翼乎！[11]

由於〈大學〉改本甚多，莫衷一是，宗周乃云程本、朱本、高本皆疑案也，積眾疑而參之，成《參疑》一卷。因其篤信《石經》，故多數章節皆從《石經》，其與《石經》不同者有：

一、將《石經》本第九節（《石經》章節次序見第二章第二節）移入第二、三節間，從古本也。

10　《南臯鄒先生語義合編》〈會語〉，卷下，頁1。

11　見《大學古文參疑》，《劉子全書》本。

二、將《石經》本第十六節，移入第十四、十五節問，從古本也。

三、將《石經》本第二十五節與二十六節互易。

四、將《石經》本第二十七節與二十八節互易，從古本也。

（七）劉斯原

斯原，字憲仲，臨潁人。有《大學古今本通考》十二卷。是書首列朱子〈大學〉改本，次列《禮記》古本，次列魏《石經》本，後為宋、元、明諸家〈大學〉說。斯原以崇信《石經》本為真石經，故列諸《禮記》古本後。因《石經大學》與孔、鄭本文不合，故益信〈大學〉有脫誤。而《石經大學》乃漢魏諸儒以己意銓次之者，斯原云：

> 蓋當是時（指漢、魏之際），聖經殘缺，簡帙錯誤，漢、魏間諸儒疑其錯簡，自以己意銓次之耳，藏於民間，近代始出，亦猶後世汲塚竹書也。[12]

（八）周從龍

從龍，生平待考。有《中庸發覆》、《大學遵古編》各一卷。毛先舒云：「周從龍著《遵古編》，謂〈大學〉當復注疏古本，以王文成之論為歸。考魏無政和年號，斷《石經》為妄。且謂其四大拙以攻管（志道）說。第《石經》本『食而不知其味』下有『顏淵問仁』二十二字，則從龍更從之，謂舊元有之，為唐明皇削去者，今自應補入。又以『誠意』章有『曾子曰』，則從賈逵定為子思書。」[13]從龍雖辨

12 《大學古今本通考》，〈例義〉，頁乙。

13 〔明〕毛先舒：《匡林》，《四書考異》〈總考〉四，〈偽石經大學〉條引。

《石經》之妄，又信當補「顏淵問仁」等二十二字及〈大學〉為子思所作之說，依違莫定，是非真知《石經》者也。

其《中庸發覆》，信坊偽《石經中庸》為真，自謂「幸得聞之，若寐之醒.」[14]從龍乃坊偽《石經中庸》唯一之信徒。

（九）其他

耿定向有《大學括義》一卷，概括《石經大學》之意旨。劉元卿有《大學新編》五卷[15]，首列〈大學〉正文一卷，以《石經大學》為據。[16]顧憲成編《大學通考》一卷，將《石經大學》列於《戴記》本之後。[17]錢一本曾刊有《石經舊本大學》一卷。[18]鄒德溥有《大學宗釋》、《中庸宗釋》各一卷。《大學宗釋》自序云：「蓋〈大學〉旨趣，實與《中庸》無二，古稱孔伋經緯之說，信不虛也。」[19]袁黄有《石經大學補》一卷，節分句解，補耿定向所未逮。[20]吳炯有《大學古本解》一卷，所謂「古本」，即《石經》本也。姚應仁有《大學中庸讀》二卷，據《石經大學》攻詰朱子《章句》，至「食而不知其味」下「顏淵問仁」五句，應仁云僅須削去此節。[21]吳極有《石經大學疏旨》。[22]陳仁錫有《四書考》二十八卷，未敢定《石經》本為偽，故

---

14 〔明〕毛先舒：《匡林》，《四書考異》〈總考〉四，〈偽石經大學〉條引。

15 《四庫全書總目》，卷37，〈經部．四書類．存目〉，頁15。《經義考》作「一卷」者，誤也。（見《經義考》，卷161，頁5）。

16 《四庫全書總目》，卷37，〈經部．四書類．存目〉，頁15。

17 《善本書室藏書志》，卷4，頁19，「顧文端《大學通考》一卷、《質言》一卷、《大學重定》一卷」條。

18 《千頃堂書目》，卷2，〈經部．三禮類〉，頁16；《經義考》，卷160，頁8。

19 《經義考》，卷160，頁7。

20 《千頃堂書目》，卷2，〈經部．三禮類〉，頁16。

21 《四庫全書總目》，卷37，〈經部．四書類．存目〉，頁20。

22 《千頃堂書目》，卷2，〈經部．三禮類〉，頁15。

「姑存之以俟知者」。[23]曹允儒曾刊刻《石經大學》。[24]葛屺瞻有《大學詁》，雖自稱古本，而分章有從《石經》本者。[25]凡此，不下十餘人，皆《石經》本者。[26]

此外，崇禎末，宜興蔣星煒竟以「虞氏改經議」出題試士，將改經遷罪虞松。蕭山宋是作《故本大學》居疑，則直以《石經大學》為劉歆改本，是又為唐伯元之疏所惑也。

二 清人信從《石經大學》者

邱嘉穗，字實亭，清上杭人，康熙四十一年（1702）舉人，有《考定石經大學經傳解》一卷。

《四庫提要》云：「……其意以豐坊偽《石經》為真，而又未見坊之原本，但據鍾惺《四書翼考》所載，又見朱彝尊、毛奇齡等素稱博洽者皆引據舊文掊擊甚力，遂依違瑟縮，不敢訟言，然其割取『《詩》云：邦畿千里』十字，實用偽《石經》本也。」[27]

此外，毛奇齡作《大學證文》四卷，兼辨《石經大學》之偽。然奇齡卻信坊所云魏正和間《五經》書石之事。全祖望云：「西河知豐氏《石經魯詩》、《大學》之偽，是已！而又信其言，謂邯鄲淳、賈逵、鍾會、虞松在正始中寫《石經》。見魏志，不特邯鄲淳並無正始中寫經之事，即賈逵以下三人本傳具在，何嘗有此？是仍不免為豐氏所欺，考據之失，頗可笑也。」[28]

---

23 《四書考》中《四書考異》〈大學〉，頁1。

24 《經義考》，卷160，頁1，豐坊〈石經大學〉條。

25 〔清〕毛奇齡：《大學證文》，卷3，頁6。

26 〔清〕毛奇齡：《大學證文》，卷2，頁2。

27 《四庫全書總目》，卷37，〈經部・四書類・存目〉，頁43。

28 《鮚埼亭集外編》，卷41，〈答杭堇甫辨毛西河述石委帖〉，頁954。

第二節　《詩傳》、《詩說》之影響

一　明人信從《詩傳》、《詩說》者

《詩傳》、《詩說》雖已考知非全為豐坊所依託，然改本《詩傳》既受《魯詩世學》之影響而改，《詩說》又抄自《世學》，則二書實亦出於豐氏也。且晚明及清代學者，因其內容相同，多合併討論或引用。故此亦繫之豐氏，合而論之。《四庫提要》云：「明代說詩諸家，以其言往往近理，故多採用之，遂盛行於時。」[29]今諸家之書多已亡佚，茲據他書徵引，或書目資料，敘述如下。

（一）郭子章（1543-1618）

子章，字相奎，號青螺，自號蠙衣生，江西泰和人，隆慶五年（1571）進士。於萬曆十三年（1585）督學四川。十七年（1589）與成都守詹思謙[30]刻〈二賢詩傳小序〉。序云：

> 予讀三百篇《詩》，其信而無疑者十一，疑而未知所謂者十九，間取《小序》讀之，易簡明亮，契於性情，疑者晰二三焉。……最後得黃文裕秘閣子貢《詩傳》石本，卒業之，疑子夏（原脫「夏」字）《小序》者，又晰二三焉。孔門七十子，至許以言《詩》，止商、賜二賢，故《詩》之商、賜，猶《周

29　《四庫全書總目》，卷16，〈經部．詩類二〉，頁29，〈詩傳詩說駁議提要〉。

30　〈合刻二賢詩傳小序序〉作「詹某某」。引自《青螺公遺書》，卷13，〈序類〉，頁22，《聖門傳詩嫡冢》前附〈二賢詩傳小序跋〉。

> 易》之孔子，《春秋》之左丘明，《孝經》之□□也，舍二子《傳》、《序》而師心自用，猶之注《易》者疑《十翼》，解《春秋》者擯《左氏》，刊《孝經》誤者并曾子之戰戰兢兢芟之也。其失埒矣！[31]

子章以《詩傳》擬孔子之《十翼》、左丘明之《左氏春秋》等，可謂不倫，然亦可見其篤信之深矣。

（二）李維楨（1547-1626）

維楨，字本寧，京山人，隆慶二年進士。先是，維楨嘗於沈一貫家見豐坊寫本《詩傳》，云：「人翁好作贋書，且附以己意，稱傳之外國，眾更疑弗信。」[32]是已疑《詩傳》非真。後又見鐘鼎篆書本，因「古法森然」，又「不知何人手筆」，遂與子夏《詩序》合刻於白下（即南京），曰《二賢言詩》。〈序〉云：

> 兩家于三百篇次第、事義，不盡相合，要以孔子、二賢相問答語。則孟子所謂不以文害辭，不以辭害志，以意逆志，是為得之，固不妨異同也。[33]

同一《詩傳》，維楨不信坊寫本，卻信他家傳抄者為真，是非真知《詩傳》者也。

---

31 《青螺公遺書》，卷13，〈序類〉，頁22，《聖門傳詩嫡冢》前附〈二賢詩傳小序跋〉。

32 〔明〕李維楨：〈二賢言詩序〉。

33 〔明〕李維楨：〈二賢言詩序〉。

（三）萬尚烈

尚烈，豫章人，萬曆間在世，生平待考。有《詩測合傳》，刻於萬曆四十六年（1618）。

自序云：「《詩測合傳》者何？測《詩》而合子貢之《詩傳》也。」[34]萬氏於《詩傳》與《詩序》間之異同，頗生疑竇，故云：「獨怪夫子夏、子貢同游孔子之門，同聞學《詩》之教，同蒙『可與言詩』之許，何《序》、《傳》異若蒼素，豈與之言者異耶！」[35]萬氏雖有此疑，然其對《詩傳》崇信之深，終明之世，殆無出其右者。茲舉數例於下。

《詩傳》將〈鄭〉〈風雨〉移入〈齊〉，云：「齊桓公相管仲，以匡天下，齊人美之。」萬氏《測》云：

> 每於〈鄭〉詩中見朱子以此為淫奔之詩，且云「風雨雞鳴，正是淫奔之時。」甚為未然。嘗竊歎曰：「詩何不幸而見於〈鄭〉，即此詩亦為淫奔也。」及見《序》以為思君子，始為快然。然尚不知為〈齊〉詩，尤不知為齊人喜相管仲之詩，今乃知所謂「既見君子」者，為既見管仲也。快哉！快哉！[36]

又〈鄭〉〈野有蔓艸〉，《詩傳》移入〈唐〉，云：「臼季遇郤缺于冀，薦于文公，□人美之。」《測》云：

> 此詩朱子以男女為說，得無亦〈鄭〉聲淫之說入其心乎？昔子

34 〔明〕萬尚烈：〈詩測合傳序〉，《聖門傳詩嫡冢》卷首附。

35 〔明〕萬尚烈：〈詩測合傳序〉，《聖門傳詩嫡冢》卷首附。

36 《聖門傳詩嫡冢》，卷5，頁11。

產與叔向相遇，歌〈野有蔓艸〉，已可為此詩之證，而今乃知為白季、郤缺之詩，殊足快也。[37]

又〈鄭〉〈緇衣〉，《詩傳》云：「鄭武公養賢而賦詩〈緇衣〉。」《測》云：

此詩舊以為桓公、武公相繼為周司徒，善於其職，周人愛之，故作是詩。每讀而疑之，以其文似欠通順，「適子」云云，「授子」云云，似非下之所宜加於上者，今讀《傳》知武公養賢而賦〈緇衣〉，不惟詩文語意一一通順，凡說詩之詞，如所謂「好賢如〈緇衣〉」，如所謂「于〈緇衣〉見好賢之至」，靡不叶矣。[38]

又《詩傳》以〈豳風〉〈七月〉一詩入〈小疋〉[39]，稱〈邠風〉。《測》云：

是〈邠風〉云者，非若〈衛風〉、〈齊風〉、〈唐風〉云云也，後之人之不察其流傳之誤，逕以〈小雅〉〈邠風〉一篇之名，目為邠國之風，與十五〈國風〉同列而列之，亦外謬甚矣！[40]

反以〈邠風〉列之〈國風〉為誤，可見其受惑之深。此外，如「大令豁然矣」、「胸中渙然如冰釋矣」等語，比比皆是。斯可謂豐氏之佞臣矣！

37 《聖門傳詩嫡冢》，卷6，頁18。

38 《聖門傳詩嫡冢》，卷7，頁11。

39 此就改本《詩傳》言之。

40 《聖門傳詩嫡冢》，卷9，頁26。

（四）毛晉（1599-1659）

晉，原名鳳苞，字子晉，江蘇常熟人，有汲古閣，刻書甚多。嘗刻《津逮秘書》，收有《詩傳》、《詩說》。《詩傳》卷末題識云：

> ……若子夏《詩序》、子貢《詩傳》，載在竹帛，非叶於管弦者，豈亦有神物護持至今耶！……《詩傳》者，或因宣聖「可與言詩」一語，後人附會其說，而作是《傳》，亦未可知。范石湖謂《傳》即《魯詩》。今觀其章次，約略相似。余家藏宋搨石碑古文大篆，漫滅難辨，然焚香展對，古色熠心，恍遨神于殷、周十五國風間，肅然不敢睨視。忽一日失去，深慨神物不易保也。

毛氏本乃依郭子章本覆刻，而去其音註者。其所藏「宋搨石碑古文大篆」《詩傳》，實即豐氏所書者。毛氏疑刻本非真，而信寫本為神物，是亦知其一不知其二者也。

（五）凌濛初

濛初，字稚成，烏程人。有《聖門傳詩嫡冢》十六卷《附錄》一卷、《言詩翼》六卷。

《嫡冢》篇次悉依《詩傳》，每篇先列《詩傳》，次列《詩序》。以二書傳自子貢、子夏，故稱《聖門傳詩嫡冢》。濛初於每篇尾題下多有按語，可見其對《詩傳》崇信之深。〈唐〉〈無衣〉尾題下云：

> 愚按沈守正曰：「武公滅晉，自立三十七年，而始以寶器請命于僖王，其目中豈嘗有王哉！詩人惡之、痛之，代為請命之

> 詞，故為偃蹇者，蓋誅其意，非必武公有是言也。舊說以為天理未盡滅，《小序》以為美武公，皆非也。」此說與傳云刺之者合，若美武公而夫子存之，豈作《春秋》之意乎？故當以《傳》為正。[41]

又〈秦〉〈蒹葭〉，《傳》云：「君子隱于川上，□□慕之。」濛初於尾題下云：

> 愚按《序》說周禮，大似無涉，毛、鄭曲解，終屬牽強，朱子駁之良是，而卻又云：「不知何所指」，亦以〈秦風〉不敢懸擬，以「室邇人遠」之類，為男女相思耳，若在〈鄭〉、〈衛〉，斷不免矣！豈知《傳》文明了若此。[42]

其他《傳》與《序》、毛、鄭有異同者，亦皆以《傳》為主。所附《詩說》一卷，以「申為漢儒，非孔氏及門者，故另為一卷，不褋置篇首。」[43]另《言詩翼》，仍列《詩傳》、《詩序》於每篇之前，又以《傳》、《序》次序不明，復篆書《詩傳》冠於篇端。[44]

（六）姚應仁

應仁，字安之，徽州人。有《詩述述》（不分卷）。是書篇目次序，全以《詩傳》、《詩說》為本。其弟子吳懷古跋云：「《詩述述》者，蓋首列經文，而以《詩傳》、《詩說》佐之，間有一得，及諸家可

---

41 《聖門傳詩嫡冢》，卷6，頁14。

42 《聖門傳詩嫡冢》，卷8，頁21。

43 《聖門傳詩嫡冢》凡例。

44 《四庫全書總目》，卷17，〈經部．詩類．存目一〉，頁22。

采者，咸附述後。名曰《述述》者，以示其非述孔氏，而所以述端木氏之所述也。」[45]是應仁亦篤信《傳》、《說》者。

（七）其他

何良俊見《詩傳》、《詩說》合〈豳風〉、〈魯頌〉為〈魯風〉，云：「蓋漢儒傳經各尊其師說，如《論語》有《齊論》、《魯論》，其篇目各自不同。」[46]又：張鶴鳴刻《詩傳》於貴竹，周著亦有傳刻。[47]林兆珂著《毛詩多識編》，兼取《詩傳》、《詩說》之說。[48]張以誠雜採舊說著《毛詩微言》，亦兼及《詩傳》。[49]沈守正《詩經說通》引書以《詩說》為首。[50]鄒忠允有《詩傳闡》、《闡餘》，則推演《詩傳》之義，而斥《詩說》為妄。[51]聞性道《惢泉手學》取《傳》、《說》摹以篆文，並附釋文。[52]黃道周取《詩說》入其《詩表》。[53]姚允恭參合《傳》、《說》之義著《傳說合參》。[54]凡此，皆可見晚明士人對《傳》、《說》二書之尊崇。

此外，何楷《詩經世本古義》，以時代為次，重編三百五篇。姚際恆云：「蓋祖述偽《傳》、《說》之餘智而益肆其猖狂者也。」[55]

---

45 《續修四庫提要》，〈經部・詩類〉，頁363。

46 《四友齋叢說》，卷1，頁15。

47 〔明〕萬尚烈：〈詩測合傳序〉，《聖門傳詩嫡冢》卷首附。

48 《四庫全書總目》，卷17，〈經部・詩類・存目一〉，頁14。

49 《四庫全書總目》，卷17，〈經部・詩類・存目一〉，頁16。

50 《四庫全書總目》，卷17，〈經部・詩類・存目一〉，頁16。

51 《四庫全書總目》，卷17，〈經部・詩類・存目一〉，頁21。

52 《四庫全書總目》，卷17，〈經部・詩類・存目一〉，頁25。

53 《續修四庫提要》，〈經部・詩類〉，頁367。

54 《古今偽書考》〈詩傳〉、〈詩說〉條。

55 《詩經通論》，卷前，〈詩經論旨〉，頁6。

二　清人信從《詩傳》、《詩說》者

入清後，學風丕變，如毛奇齡《詩傳詩說駁議》、姚際恆《古今偽書考》、朱彝尊《經義考》、《四庫提要》等，皆力斥二書之偽。諸大儒之信從者遂少。然僻鄉儒生之信從者，仍有其人。

張能鱗《詩經傳說取裁》，以《詩傳》為主，旁採《詩說》。[56]陳遷鶴《毛詩國風繹》引《傳》、《說》以駁毛《序》。[57]姜兆錫《詩蘊》宗朱《傳》，視《小序》、《傳》、《說》三書為同等而譏之。[58]范爾梅《讀詩小記》謂《詩傳》雖有殘缺，要與《小序》相發明，故舉其同於《序》者以相證。[59]李調元《童山詩音說》以《詩說》說音韻。[60]劉沅《詩經恆解》兼取《傳》、《說》為說。[61]沈青崖《毛詩明辨錄》謂《傳》、《說》皆列〈魯風〉為〈二南〉，當是雅頌未得其所。又以〈鄘〉〈相鼠〉，班固以為妻諫夫，不如申公以為刺三未。[62]徐華嶽《詩故考異》，以《傳》、《說》頗有「先儒遺說」，故兼引之。[63]潘克溥《詩經說鈴》亦兼取《傳》、《說》。[64]趙容《誦詩小識》，雖或知二書為後人偽託，終以其「當理者固不可沒」，故兼取之。[65]蔣曰豫《詩

56 《四庫全書總目》，卷18，〈經部・詩類・存目二〉，頁2。
57 《續修四庫提要》，〈經部・詩類〉，頁375。
58 《四庫全書總目》，卷18，〈經部・詩類・存目二〉，頁6。
59 《續修四庫提要》，〈經部・詩類〉，頁373。
60 《續修四庫提要》，〈經部・詩類〉，頁401。
61 《詩經恆解》凡例，頁1。
62 《續修四庫提要》，〈經部・詩類〉，頁382。
63 《續修四庫提要》，〈經部・詩類〉，頁456。
64 《續修四庫提要》，〈經部・詩類〉，頁517。
65 《續修四庫提要》，〈經部・詩類〉，頁528。

經異文》，兼採《詩傳》。[66]徐天璋《詩經集解辨正》於〈彙解〉一目下必先引《詩說》。[67]凡此，由清初至清末二百餘年問，二書之流風餘韻，仍不絕如縷。

至於陸棻信《魯詩世學》所言三年之喪必三十六月[68]之說，遭憂家居，閱二十七月而不出補官，其門人邱嘉穗載之《東山草堂邇言》中，以為美談。[69]是又入偽說之魔而不自知者也。

第三節　《孟子外書》、《於陵子》之影響

一　《孟子外書》之信從者

《孟子外書》出現於明萬曆末，明人知其書者不多。清乾隆以後，《外書》遂大行其道，或傳刻，或補注，不下十餘家。雖有丁杰、翟灝等力斥其偽，然信從者仍多。蓋以其書多採自舊籍，所採事蹟雖不盡孟子本真，要亦好古者所樂聞也。

（一）林春溥（1775-1861）

春溥，字立源，福建閩縣人，清嘉慶七年（1802）進士。有《孟子外書補證》一卷，刻入《竹柏山房十五種》中。

春溥信趙岐所云，《外書》四篇「文不能弘深，不與內篇相似，疑為依託」之言，云「趙氏所言不誣」。然又以為《外書》「當是孟子

66 《續修四庫提要》，〈經部．詩類〉，頁542。
67 《續修四庫提要》，〈經部．詩類〉，頁544。
68 《魯詩世學》〈鄶〉〈素冠〉下《考補》云：「喪二十四月禫，二十六月以吉禮祭也。二十七月乃除。然又歷九月始得衣錦食肉，燕樂嫁娶，復仕於朝。此父母之喪，必滿三十六月。故曰三年之喪，天下之達禮也。」（見《魯詩世學》，卷十一）。
69 黃雲眉《古今偽書考補證》，頁53。

卒後門子弟相與傳其遺事，綴其諸論，故與內篇別異。」[70]因於翟灝所陳《外書》偽跡八驗三證，一一加以辨駁。如翟灝云《外書》綴引自諸書，又襲諸書誤引之文。春溥反駁云：

> 諸書引《孟子》，其內篇所無者，自出《外書》，今《外書》幸存，可相印證，反以為綴輯敷衍，否則指他書之相似者，指為誤引，深文巧詆，必欲廢棄滅絕之而後已，是誠何心哉！[71]

又翟灝斥《外書》杜撰孟子弟子季孫郊、公都或等名，又稱公孫丑曰丑子。春溥反駁云：

> 季孫、公都子內篇不見其名，今有季孫郊、公都或二人之名，賴以有考。孟子弟子多稱子，公孫丑稱丑子，亦猶匡章之稱章子耳，而皆以為杜撰，何由知之？[72]

可見春溥篤信甚深。雖曲意回護，終不能救《外書》之偽，亦徒見其固執而已。

（二）陳矩

矩，字衡山，貴陽人，清光緒時官知縣。有《孟子外書補注》四卷、《孟子弟子考補正》一卷，刻入《靈峯草堂叢書》中。

矩注《外書》，據士粦杜撰之文，駁古書之非。如〈性善辨第一〉云：「子思之子曰子上，軻嘗學焉，是以得聖人之傳也。」矩

70 《孟子外書補證》，頁15。

71 《孟子外書補證》，頁15。

72 《孟子外書補證》，頁15。

《補注》云：

> 《史記》謂孟子學於子思之門人，則不如此確。[73]

又〈性善辨第一〉云：「孟子謂子石曰：卵有毛，信乎？」偽熙時子《注》云：「公孫龍，字子石，趙人，為堅白異同之辨者。」矩〈補注〉云：

> 矩按公孫龍，趙人，見《列子》；《淮南子》亦謂公孫龍在趙。《史記》云，齊有公孫龍，蓋偶游齊也。舊注得之。[74]

矩不知有兩公孫龍，故信偽注為真。又〈文說第二〉云：「孟子曰：夫《易》憂患之書也，安樂而不知《易》，君子吉，小人凶；憂患而不知《易》，小人吉，君子凶。是以君子不可以不知《易》也。」矩據此非趙岐，云：

> 故知《易》者莫如孟子。以此而論，趙氏謂孟子長於《詩》、《書》而已，豈知孟子者。[75]

又〈為政第四〉云：「孟嘗君好士，吾不信也。」矩亦信為真。云：

> 客無所擇，皆善遇之。無所擇，豈真好士邪！故孟子非之。[76]

---

73 《孟子外書補注》，頁1。

74 《孟子外書補注》，頁4。

75 《孟子外書補注》，頁7。

76 《孟子外書補注》，頁13。

殊不知孟嘗君之好士，為孟子身後事。矩不詳察而誤信之，斯可異也。

其《孟子弟子考補正》，乃補朱彝尊《孟子弟子考》之不足，所補之人，如曼丘不擇、季孫郊、公都彧等，皆為《外書》中士粦所杜撰者。可見矩信《外書》之篤矣。

（三）孟經國

經國，浙江會稽人，歷充院道幕職，有《孟子外書》一卷，輯入道光十一年（1831）經國所刊《閒道集》中。其書乃就士粦偽本第四篇〈為正〉補入九章，並將其他篇章竄亂，託言得之梁祠老人。是又非士粦始料所及者也。其詳已見第三章第四節第五小節中，此不再贅。

（四）其他

李調元之《函海》，吳騫之《拜經樓叢書》，吳省蘭之《藝海珠塵》，錢儀吉之《經苑》，皆將《外書》刻入。另金紹綸之校刊，施彥士之《補證》，姜國伊之《補注》，高驤雲之刊刻及日人之傳抄等等，雖未必皆信《外書》為真，然亦可見有清一代士人對此書之重視。

二　《於陵子》之信從者

《於陵子》於萬曆三十一年（1603）初刻入《秘冊彙函》，晚明士人反應並不如《詩傳》、《詩說》及《石經大學》之熱烈，然誤信其為真者仍有其人。

（一）徐渭（1521-1593）

渭，字文長，晚號青藤，浙江山陰人。《諸家合評十二子》中之《於陵子》，題「徐文長先生評」。書眉與篇末皆有評語。如〈畏人篇〉後評云：

> 畏人，人畏；我畏，畏我。反覆古奧，不但議高，亦且筆妙，直先秦以上之文（原誤作父），非漢魏人所及也。[77]

《四庫提要》以徐渭評為坊賈所託[78]，然並無確據。要之，即不出於徐氏，而為此評者，亦必信其為真書也。

（二）鄭子龍

子龍，明末人，生平待考。輯有《十二子》。其《於陵子》卷末總評云：

> 神清骨秀，語帶齒香，子書中之美女簪花耶！[79]

是亦信《於陵子》為真者也。

77　《於陵子》，頁5（《諸家合評十二子》本）。

78　《四庫全書總目》，卷124，〈子部．雜家類．存目一〉，頁1。

79　《於陵子》，頁11（《諸家合評十二子》本）。

參考文獻

一 引用書目

(一) 經部

周易注疏　魏王弼、晉韓康伯注　唐孔穎達疏　藝文印書館影印十三經注疏本
古易世學　明豐坊撰　藍格舊鈔本
陸氏易解　三國陸績撰　明姚士粦輯　清文淵閣四庫全書本
毛詩本義　宋歐陽修撰　通志堂經解本
詩本義譜　宋歐陽修撰　通志堂經解本
詩集傳　宋蘇轍撰　清文淵閣四庫全書本
詩集傳　宋朱熹撰　中華書局排印本
詩序辨說　宋朱熹撰　學津討源本
毛詩李黃集解　宋李迂仲、黃實夫撰　通志堂經解本
詩疑　宋王柏撰　通志堂經解本
詩說解頤　明季本撰　四庫珍本四集本
魯詩世學　明豐坊撰　明越勤軒藍格鈔本
魯詩世學　明豐坊撰　舊鈔本
詩傳孔氏傳　舊題周端木賜撰　明越勤軒藍格鈔本
詩傳孔氏傳　舊題周端木賜撰　舊鈔本
詩傳孔氏傳　舊題周端木賜撰　丘陵學山本

詩傳孔氏傳　舊題周端木賜撰　百陵學山本
詩傳孔氏傳　舊題周端木賜撰　廣漢魏叢書本
詩傳孔氏傳　舊題周端木賜撰　津逮秘書本
詩傳孔氏傳　舊題周端木賜撰　增訂漢魏叢書本
詩傳孔氏傳　舊題周端木賜撰　叢書集成初編本
新刻詩傳　舊題周端木賜撰　明末刊古名儒毛詩解十六種本
詩傳　舊題周端木賜撰　格致叢書本
詩傳　舊題周端木賜撰　明萬曆間李維楨重刊二賢言詩本
詩傳　舊題周端木賜撰　陶珽重編說郛本
詩傳　舊題周端木賜撰　古今圖書集成本
詩說　舊題漢申培撰　丘陵學山本
詩說　舊題漢申培撰　百陵學山本
詩說　舊題漢申培撰　漢魏叢書本
詩說　舊題漢申培撰　格致叢書本
詩說　舊題漢申培撰　廣漢魏叢書本
詩說　舊題漢申培撰　津逮秘書本
詩說　舊題漢申培撰　唐宋叢書本
詩說　舊題漢申培撰　陶珽重編說郛本
詩說　舊題漢申培撰　古今圖書集成本
詩說　舊題漢申培撰　增訂漢魏叢書本
詩說　舊題漢申培撰　叢書集成初編本
申公詩說　舊題漢申培撰　明崇禎辛未刊聖門傳詩嫡冢本
新刻詩說　舊題漢申培撰　明末刊古名儒毛詩解十六種本
詩經世本古義　明何楷撰　四庫珍本四集本
聖門傳詩嫡冢　明凌濛初撰　明崇禎辛未刊本
讀詩略記　明朱朝瑛撰　四庫珍本一集本

詩表　明黃道周撰　黃道周所著書本
詩傳詩說駁議　清毛奇齡撰　清文淵閣四庫全書本
詩經通論　清姚際恆撰　民國五十年廣文書局重印本
詩經恆解　清劉沅撰　槐軒全書本
詩經集解辨正　清徐天璋撰　民國十二年排印本
詩三家義集疏　清王先謙撰　鼎文書局影印本
韓詩外傳　漢韓嬰撰　漢魏叢書本
儀禮注疏　漢鄭玄注　唐賈公彥疏　藝文印書館影印十三經注疏本
禮記注疏　漢鄭玄注　唐孔穎達疏　藝文印書館影印十三經注疏本
左傳注疏　晉杜預注　唐孔穎達疏　藝文印書館影印十三經注疏本
春秋世學　明豐坊撰　明朱絲欄鈔本
經典釋文　唐陸德明撰　通志堂經解本
九經考異　明周應賓撰　明萬曆間刊本
經典稽疑　明陳耀文撰　四庫珍本二集本
四書考　明陳仁錫撰　明崇禎甲戌陳氏原刊本
四書釋地　清閻若璩撰　皇清經解本
四書考異　清翟灝撰　清武林竹簡齋刊本
論語注疏　魏何晏注　宋邢昺疏　藝文印書館影印十三經注疏本
論語餘說　清崔述撰　崔東壁遺書本
孟子注疏　漢趙岐注　舊題宋孫奭疏　藝文印書館影印十三經注疏本
孟子外書　舊題宋熙時子注　函海本
孟子外書　舊題宋熙時子注　拜經樓叢書本
孟子外書　舊題宋熙時子注　藝海珠塵本
孟子外書　舊題宋熙時子注　經苑本
孟子外書　舊題宋熙時子注　清光緒間重刊函海本
孟子外書補證　舊題宋熙時子注　清林春溥補證　竹柏山房十五種本

孟子外書補注　舊題宋熙時子注　清陳矩補注　靈峯草堂叢書本
孟子四考　清周廣業撰　清嘉慶間省吾廬刊本
孟子研究　錢穆撰　民國三十七年上海開明書店排印本
大學古本問　明王守仁撰　百陵學山本
大學石經古本　明豐坊撰　蘉古介書前集本
大學石經　明豐坊撰　百川學海本
大學石經　明豐坊撰　陶珽重編說郛本
大學石經古本前引、旁釋、申釋　明王文祿撰　百陵學山本
大學古今通考　明劉斯原撰　明萬曆間刊本
大學古文參疑　明劉宗周撰　清嘉慶十三年默齋校刊劉子全書本
大學證文　清毛奇齡撰　清文淵閣四庫全書本
中庸古本前引、旁釋、復申　明王文祿撰　百陵學山本
漢石經集序　馬衡撰　排印本
方言　漢揚雄撰　清戴震疏證　四部備要本
說文解字　漢許慎撰　清段玉裁注　藝文印書館影印經韻樓刊本
六書統　元楊桓撰　清文淵閣四庫全書本
古音駢字　明楊慎撰　清文淵閣四庫全書本

(二) 史部

史記　漢司馬遷撰　宋裴駰集解　唐司馬貞索隱　張守節正義　藝文印書館影印清乾隆四年校刊本
漢書　漢班固撰　唐顏師古注　清王先謙補注　藝文印書館影印清光緒二十六年長沙王氏校刊本
三國志　晉陳壽撰　宋裴松之注　藝文印書館影印本
宋史　元脫脫撰　百衲本二十四史本

明史　清張廷玉等撰　新校標點本
十七史商榷　清王鳴盛撰　廣文書局影印清乾隆五十二年洞涇草堂刊本
明實錄　中央研究院歷史語言研究所校勘本
國榷　明談遷撰　鈔本
皇明史竊　明尹守衛撰　明崇禎十年刊本
皇明嘉隆兩朝聞見記　明沈朝陽撰　學生書局影印本
通志　宋鄭樵撰　新興書局影印清武英殿本
東都事略　宋王偁撰　文海出版社影印本
戰國策　漢高誘注　藝文印書館影印本
孟子弟子考補正　清陳矩撰　靈峯草堂叢書本
列女傳　漢劉向撰　四部備要本
高士傳　晉皇甫謐撰　四部備要本
皇朝名臣言行續錄　宋李幼武撰　文海出版社影印本
國朝獻徵錄　明焦竑撰　學生書局影印明萬曆四十四年徐象橒刊本
皇明應謚名臣備考錄　明林之盛撰　明萬曆乙卯錢塘林氏家刊本
國朝列卿記　明雷禮撰　明萬曆間徐鑒刊本
蘭臺法鑒錄　明何出光等撰　明萬曆丁酉安邑陳遇文刊本
皇明詞林人物考　明王兆雲撰　明萬曆間刊本
本朝分省人物考　明過庭訓撰　明天啟間刊本
兩浙名賢錄　明朱國祚撰　清光緒庚子浙江書局重刊本
明史列傳　清徐乾學撰　學生書局影印舊鈔本
列朝詩集小傳　清錢謙益撰　世界書局排印本
豐清敏公遺事　宋李朴撰　四明叢書一集本
十六國春秋一百卷　舊題魏崔鴻撰　清文淵閣四庫全書本
吳越備史　舊題宋范坰撰　四部叢刊續編本

後梁春秋　明姚士粦撰　清乾隆三年浙西沈濬手鈔本
同治上海縣志　清俞樾等纂　清同治十一年刊本
直隸通州志　清夏之蓉等纂　清乾隆二十年刊本
通州直隸志　清季念詒等纂　清光緒二年刊本
敕修浙江通志　清沈翼機等纂　清乾隆元年刊本
寧波府志　清萬經等纂　清乾隆六年補刊本
嘉興府志　清吳仰賢等纂　清光緒四年刊本
紹興府志　清平恕等纂　清乾隆五十七年刊本
乾隆鄞縣志　清錢大昕纂　清乾隆五十三年刊本
光緒鄞縣志　清董沛等纂　清光緒三年刊本
鄞志稿　清蔣學鏞撰　四明叢書三集本
海鹽縣圖經　明胡震亨等纂　明天啟四年刊本
海鹽縣志　清徐用儀纂　清光緒二年刊本
上虞縣志　清朱士黻等纂　清光緒十七年刊本
奉化縣志　清陳琦等纂　清乾隆三十七年刊本
福建通志　清魏敬中纂　清同治十年重刊本
福州府志　清曾煜等纂　清乾隆十九年刊本
漳浦縣志　清林登虎纂　清康熙四十七年修民國二十五年刊本
雲南通志　清丁煌等纂　清康熙三十年刊本
皇明進士登科考　明俞憲編　民國五十八年學生書局影印本
文獻通考　元馬端臨撰　新興書局影印清武英殿本
欽定續文獻通考　清高宗敕撰　新興書局影印清武英殿本
漢書藝文志　漢班固撰　世界書局排印本
隋書經籍志　唐長孫無忌等撰　世界書局排印本
舊唐書經籍志　後晉劉昫撰　世界書局唐書經籍藝文合志本
新唐書藝文志　宋歐陽修撰　世界書局唐書經籍藝文合志本

崇文總目　宋王堯臣撰　清錢東垣輯釋　廣文書局影印粵雅堂本
宋史藝文志　元脫脫撰　世界書局宋史藝文志廣編本
國史經籍志　明焦竑撰　世界書局明史藝文志廣編本
千頃堂書目　清黃虞稷撰　廣文書局影印適園叢書本
明史藝文志　清張廷玉等　世界書局明史藝文志廣編本
四庫全書總目提要　清紀昀等撰　藝文印書館影印清同治七年廣東書局重刊本
續修四庫全書提要　民國六十年臺灣商務印書館排印本
子略　宋高似孫撰　廣文書局影印四明叢書本
郡齋讀書志　宋晁公武撰　廣文書局影印清王先謙校刊本
重編紅雨樓題跋　明徐𤊹撰　廣文書局影印峭帆樓叢書本
絳雲樓書目　清錢謙益撰　廣文書局影印粵雅堂叢書本
述古堂藏書目　清錢曾撰　廣文書局影印粵雅堂叢書本
經義考　清朱彝尊撰　四部備要本
古今偽書考　清姚際恆撰　世界書局偽書考五種本
潛研堂金石文跋尾　清錢大昕撰　藝文印書館石刻史料叢書乙編本
善本書室藏書志　清丁丙撰　廣文書局影印清光緒末年原刊本
天一閣見存書目　清薛福成編　古亭書屋影印清光緒十五年無錫薛氏刊本
藏書記事詩　清葉昌熾撰　世界書局排印本
重考古今偽書考　顧實撰　民國十五年大東書局排印本
古書真偽及其年代　梁啟超撰　中華書局排印本
古今偽書考補證　黃雲眉撰　民國二十年南京金陵大學中國文化研究所排印本
天一閣藏書考　陳登原撰　民國二十一年南京金陵大學中國文化研究所排印本

四庫提要辨證　余嘉錫撰　藝文印書館影印民國二十六年排印本
四庫全書總目提要補正　胡玉縉撰　中華書局排印本
圖書板本學要略　屈翼鵬、昌瑞卿師撰　民國四十二年中華文化出版事業社排印本
古籍導讀　屈翼鵬師撰　民國五十三年開明書店排印本

（三）子部

荀子　周荀況撰　清王先謙集解　世界書局排印本
孔叢子　舊題漢孔鮒撰　漢魏叢書本
說苑　漢劉向撰　漢魏叢書本
鹽鐵論　漢桓寬撰　世界書局排印本
法言　漢揚雄撰　漢魏叢書本
風俗通義　漢應劭撰　漢魏叢書本
朱子語類　宋朱熹撰　黎靖德類編　正中書局影印明成化九年覆刊宋刻本
大學衍義　宋真德秀撰　四部叢刊三編本
詹氏性理小辨　明詹景鳳撰　明萬曆間王元貞校刊本
明儒學案　清黃宗羲撰　河洛出版社重印本
宋元學案　清全祖望撰　河洛出版社重印本
宋元學案補遺　清王梓材等　四明叢書五集本
琴操　漢蔡邕撰　叢書集成初、簡編本
書史會要　明陶宗儀撰　朱謀垔續　明崇禎間刊本
書訣　明豐坊撰　四明叢書四集本
童學書程　明豐坊撰　明萬曆間刊本
真賞齋賦　明豐坊撰　藕香零拾本

明畫錄　清徐沁撰　讀畫齋叢書本
無聲詩史　清姜紹書撰　藝術叢書本
佩文齋書畫譜　清聖祖敕撰　新興書局影印清內府刊本
淮南子　漢劉安撰　高誘注　世界書局排印本
白虎通　漢班固撰　漢魏叢書本
獨斷　漢蔡邕撰　漢魏叢書本
意林　唐馬總撰　新興書局重印本
讒書　唐羅隱撰　叢書集成初編、簡編本
四庫底本蘆浦筆記　宋劉昌詩撰　世界文史藝術叢書本
履齋示兒編　宋孫奕撰　舊鈔本
困學記聞　宋王應麟撰　清翁元圻注　世界書局排印本
竹下寤言　明王文祿撰　百陵學山本
古言　明鄭曉撰　明嘉靖四十四年項子長刊本
四友齋叢說　明何良俊撰　明隆慶三年原刊本
戒菴老人漫筆　明李詡撰　明萬曆二十五年刊本
於陵子　舊題周陳仲子撰　秘冊彙函本
於陵子　舊題周陳仲子撰　諸家合評十二子本
於陵子　舊題周陳仲子撰　十二子本
於陵子　舊題周陳仲子撰　廿二子全書本
於陵子　舊題周陳仲子撰　百子全書本
於陵子　舊題周陳仲子撰　叢書集成初編、簡編本
甲乙剩言　明胡應麟撰　筆記小說大觀四編本
少室山房筆叢　明胡應麟撰　世界書局排印本
日知錄　清顧炎武撰　明倫出版社重印本
居易錄　清王士禛撰　筆記小說大觀十五編本
復堂日記　清譚獻撰　半厂叢書初編本

北堂書鈔　唐虞世南撰　新興書局影印孔廣陶刊本
藝文類聚　唐歐陽詢撰　文光出版社重印本
太平御覽　宋李昉撰　新興書局影印本
玉海　宋王應麟撰　華文書局影印元廣元路儒學刊本
萬姓統譜　明凌迪知撰　明萬曆己卯年汲古閣刊本
古今圖書集成　清陳夢雷撰　中華書局影印本
明語林　清吳肅公撰　芋園叢書本
列子　舊題周列禦寇撰　晉張湛注　世界書局排印本
中國近三百年學術史　梁啟超撰　中華書局排印本
先秦諸子繫年　錢穆撰　民國二十四年商務印書館排印本

(四) 集部

柳河東集　唐柳宗元撰　世界書局排印本
萬卷樓遺集　明豐坊撰　明萬曆四十五年家刊本
淡生堂集　明祁承㸁撰　明崇禎六年祁氏家刊本
弇州山人四部稿　明王世貞撰　偉文圖書公司影印明萬曆刊本
牧齋初學集　清錢謙益撰　四部叢刊初編本
牧齋初學集詩註　清錢謙益撰　錢曾註　清玉詔堂刊本
鮚埼亭集　清全祖望撰　四部叢刊初編本
南雷文定　清黃宗羲撰　人人文庫本
曝書亭集　清朱彝尊撰　民國五十三年世界書局排印本
獨學廬初稿　清石韞玉撰　清乾隆間刊本
定本觀堂集林　王國維撰　民國五十年世界書局增訂本
文選　梁蕭統編　唐李善注　藝文印書館影印清胡克家刊本
全上古三代秦漢三國六朝文　清嚴可均輯　清光緒十三至十九年廣雅

書局刊本
全漢三國晉南北朝詩　丁福保編　世界書局排印本
明詩綜　清朱彝尊撰　世界書局影印清西泠清來堂吳氏刊本
明詩記事　清陳田撰　清光緒二十五年陳氏聽詩齋刊本
甬上耆舊詩　清胡文學輯　四庫珍本六集本
藝苑卮言　明王世貞撰　歷代詩話續編本
竹垞詩話　清朱彝尊撰　文星集刊本

（五）論文

河字意義的演變　屈翼鵬師撰　開明書店書傭論學集本
孟子七篇的作者與孟子外書的真偽問題　屈翼鵬師撰　孔孟學報七期
晚明書業的惡風　屈翼鵬師撰　國立臺灣大學三十週年校慶特刊
傳述史料中常見之幾種現象　屈翼鵬師撰　沈剛伯先生八秩榮慶論文集
心史的作者問題　劉兆祐師撰　書目季刊四卷三期
明清蟫林輯傳　汪誾撰　圖書館學季刊七卷一期

二　重要參考書目

詩經釋義　屈翼鵬師撰　民國四十四年中華文化出版事業社排印本
中國經學史　馬宗霍撰　商務印書館排印本
歷代石經考　張國淦撰　民國十九年燕京大學國學研究所排印本
明史記事本末　清谷應泰撰　民國六十五年華世出版社重印本
明代名人傳　L.C.Goodrich主編　西元一九七六年哥倫比亞大學出版
偽書通考 張心澂撰 民國四十八年排印本

經學研究叢書·經學史研究叢刊　0501016

豐坊與姚士粦

作　　者	林慶彰
責任編輯	邱惠芬
	蔡雅如
特約校稿	林秋芬
發 行 人	陳滿銘
總 經 理	梁錦興
總 編 輯	陳滿銘
副總編輯	張晏瑞
編 輯 所	萬卷樓圖書股份有限公司
排　　版	林曉敏
印　　刷	百通科技股份有限公司
封面設計	百通科技股份有限公司

發　　行　萬卷樓圖書股份有限公司
臺北市羅斯福路二段 41 號 6 樓之 3
電話 (02)23216565
傳真 (02)23218698
電郵 SERVICE@WANJUAN.COM.TW

大陸經銷　廈門外圖臺灣書店有限公司
電郵 JKB188@188.COM

ISBN 978-957-739-941-0
2015 年 7 月初版
定價：新臺幣 320 元

如何購買本書：

1. 劃撥購書，請透過以下郵政劃撥帳號：
   帳號：15624015
   戶名：萬卷樓圖書股份有限公司
2. 轉帳購書，請透過以下帳戶
   合作金庫銀行　古亭分行
   戶名：萬卷樓圖書股份有限公司
   帳號：0877717092596
3. 網路購書，請透過萬卷樓網站
   網址 WWW.WANJUAN.COM.TW

大量購書，請直接聯繫我們，將有專人為您服務。客服：(02)23216565　分機 10

如有缺頁、破損或裝訂錯誤，請寄回更換

國家圖書館出版品預行編目資料

豐坊與姚士粦 / 林慶彰著. -- 初版. -- 臺北市：萬卷樓, 2015.07
　面；　公分. -- (經學研究叢書. 經學史研究叢刊)
ISBN 978-957-739-941-0(平裝)

1.經學　2.辨偽學　3.明代

090.96　　104008969